ESTE DIÁRIO PERTENCE A:

Nikki J. Maxwell

PARTICULAR E CONFIDENCIAL

Se encontrá-lo perdido, por favor devolva para MIM em troca de uma RECOMPENSA!

(PROIBIDO BISBILHOTAR!! ☹)

TAMBÉM DE
Rachel Renée Russell

Diário de uma garota nada popular:
histórias de uma vida nem um pouco fabulosa

Diário de uma garota nada popular 2:
histórias de uma baladeira nem um pouco glamourosa

Diário de uma garota nada popular 3:
histórias de uma pop star nem um pouco talentosa

Diário de uma garota nada popular 3,5:
como escrever um diário nada popular

Rachel Renée Russell

DIÁRIO
de uma garota nada popular

Histórias de uma patinadora nem um POUCO graciosa

Tradução
Carolina Caires Coelho

16ª edição

Rio de Janeiro-RJ / São Paulo - SP, 2024

VERUS
EDITORA

Título original: Dork Diaries: Tales from a Not-So-Graceful Ice Princess
Editora: Raissa Castro
Coordenadora Editorial: Ana Paula Gomes
Copidesque: Anna Carolina G. de Souza
Revisão: Gabriela Lopes Adami
Diagramação: André S. Tavares da Silva
Capa, Projeto Gráfico e Ilustrações: Lisa Vega

Copyright © Rachel Renée Russell, 2012
Tradução © Verus Editora, 2013
ISBN 978-85-7686-223-9

Todos os direitos reservados, no Brasil, por Verus Editora. Nenhuma parte desta obra pode ser reproduzida ou transmitida por qualquer forma e/ou quaisquer meios (eletrônico ou mecânico, incluindo fotocópia e gravação) ou arquivada em qualquer sistema ou banco de dados sem permissão escrita da editora.

Verus Editora Ltda. Rua Argentina, 171, São Cristóvão, Rio de Janeiro/RJ, 20921-380, www.veruseditora.com.br

CIP-BRASIL. CATALOGAÇÃO NA FONTE
SINDICATO NACIONAL DOS EDITORES DE LIVROS, RJ

R925d
v.4

Russell, Rachel Renée

Diário de uma garota nada popular : histórias de uma patinadora nem um pouco graciosa / Rachel Renée Russell ; tradução Carolina Caires Coelho ; [ilustração Lisa Vega]. – 16.ed. – Rio de Janeiro – RJ : Verus, 2024.

il. ; 21 cm

Tradução de: Dork Diaries : Tales from a Not-So-Graceful Ice Princess
ISBN 978-85-7686-223-9

1. Literatura infantojuvenil americana. I. Coelho, Carolina Caires. II. Vega, Lisa. III. Título.

13-0371

CDD: 028.5
CDU: 087.5

Revisado conforme o novo acordo ortográfico.

Impressão e acabamento: Gráfica Santa Marta.

Para as minhas irmãs maravilhosas e melhores amigas,
Damita e Kimberly.
Obrigada por serem as minhas
Chloe e Zoey da vida real!
Tenho orgulho (e muita sorte!)
de ser a irmã mais velha de vocês.

AGRADECIMENTOS

A todos os fãs de *Diário de uma garota nada popular*, obrigada por abrirem o coração para estes livros. Não existiria Nikki Maxwell sem vocês. Por quê? Porque VOCÊS são ELA! Continuem sendo quem são e lembrem-se sempre de deixar seu lado nada popular brilhar.

Liesa Abrams Mignogna, minha editora fabulosa, que torna o processo de criação dos livros algo tão inspirador e divertido que eu AINDA tenho de me beliscar para ter certeza de que não estou sonhando. Assim como a Nikki Maxwell, você é uma maravilhosa e real garota nada popular apaixonada por um belo fotógrafo (seu maridão!). Obrigada por ser a editora dos meus sonhos!

Lisa Vega, minha supertalentosa diretora de arte, que trabalha incansavelmente nesta série e conhece TÃO BEM a arte do *Diário de uma garota nada popular*, a ponto de ME dizer quando o cabelo da MacKenzie não está num dia bom. Isso é tão maravilhosamente estranho.

Mara Anastas, Paul Crichton, Carolyn Swerdloff, Matt Pantoliano, Katherine Devendorf, Alyson Heller e as demais pessoas da minha incrível equipe da Aladdin/Simon & Schuster, obrigada por levarem esta série para a estratosfera com a visão e o trabalho árduo de vocês.

Daniel Lazar, meu superdoce e trabalhador agente da Writers House, obrigada por seu sangue, suor e lágrimas. Eu não teria feito nada disso sem você. Acima de tudo, obrigada por incentivar meus sonhos e minhas ideias ligeiramente malucas. Você é mesmo um grande amigo.

Um obrigada especial a Stephen Barr por toda a ajuda no livro *Diário de uma garota nada popular: como escrever um diário nada popular* e por me manter rindo. E a Torie Doherty por cuidar da organização de tudo e me enviar e-mails animados.

Maja Nikolic, Cecilia de la Campa e Angharad Kowal, meus agentes de direitos internacionais da Writers House, obrigada por colocarem *Diário de uma garota nada popular* nas mãos das crianças do mundo todo.

Nikki Russell, minha supertalentosa assistente de arte, e Erin Russell, minha supertalentosa redatora-assistente. Ai, meu Deus! Por onde devo começar? Sou muito feliz e abençoada por ser mãe de vocês. Obrigada por me ajudarem a colocar no mundo esta série de livros. Vocês são as nada populares originais, que foram (e ainda SÃO) minha inspiração para escrevê-los. Amo MUITO vocês duas!

Sydney James, Cori James, Presli James, Arianna Robinson e Mikayla Robinson, minhas sobrinhas, por serem parceiras críticas brutais, sempre dispostas a trabalhar por uma tarde de compras no shopping e batatas fritas com queijo.

DOMINGO, 1º DE DEZEMBRO

AI, MEU DEUS!

Nunca senti TANTA VERGONHA na vida!!

E dessa vez não foi por causa da minha inimiga esnobe e viciada em gloss, MacKenzie Hollister.

Ainda não consigo entender por que minha própria irmã, a Brianna, me humilharia desse jeito.

Tudo começou hoje à tarde, quando percebi que meus cabelos estavam mais oleosos que uma porção extragrande de batata frita. Eu precisava de um banho ou de uma troca de óleo emergencial. E eu NÃO estou mentindo.

Não fazia nem um minuto que eu estava no chuveiro quando ALGUÉM começou a bater como doido na porta do banheiro. Eu agitadamente dei uma espiada pelo box e fiquei, tipo: "Mas que m...??!!"

"Até quando você vai MONOPOLIZAR o banheiro?", a Brianna gritou. "NIKKI...?!"

BAM!! BAM!! BAM!!

"Brianna, pare de bater na porta! Estou no chuveiro!"

"Mas eu acho que deixei minha boneca aí dentro. Ela e a Bicuda estavam numa festa na piscina e..."

"O QUÊ? Foi mal, Brianna! Eu NÃO quero saber se você fez xixi na calcinha."

"NÃO! Eu disse 'FESTA NA PISCINA'! Preciso entrar e pegar minha boneca para..."

"NÃO POSSO abrir a porta agora. CAI FORA!"

"Mas, Nikki, preciso usar o banheiro. É URGENTE!"

"Use o de baixo!"

"Mas a minha boneca não está no banheiro de baixo!"

"Sinto muito, mas não dá para você pegar a sua boneca agora! Espera até eu sair do banho!"

Infelizmente, um minuto depois...

"Você precisa abrir a porta para poder atender o telefone!"

BAM!! BAM!! BAM!!

A Brianna acha que sou boba ou o quê? NÃO vou cair no velho truque do abra-a-porta-do-banheiro--porque-tem-alguém-querendo-falar-com-você.

"Tá bom, Brianna! Diga que não estou a fim de falar agora."

"Hum, alô. A Nikki disse que não quer falar agora... Não sei. Espera... Nikki, a pessoa quer saber quando pode ligar de novo."

BAM!! BAM!! BAM!!

"NIKKI?! A pessoa quer saber quando..."

"NUNCA! Diga para ela NUNCA mais me ligar! E que por mim ela pode CAIR MORTA. A única coisa que quero fazer agora é TOMAR BANHO! Então, por favor, Brianna! ME DEIXA EM PAZ!"

"Hum, alô. A Nikki disse para você nunca mais ligar! E disse também que você pode morrer!... Ãhã. E sabe por quê...?"

Foi quando me ocorreu que talvez alguém ESTIVESSE mesmo ao telefone. Mas QUEM? Eu raramente recebo ligações.

"Porque VOCÊ tem PIOLHO! É por isso!"

Brianna riu como um palhaço maldito.

Fiquei um pouco preocupada porque aquele insulto me pareceu muito... familiar. Ela disse exatamente a mesma coisa para alguém ontem mesmo. Mas não havia a menor chance de essa pessoa telefonar PARA MIM UM DIA!

De repente, um sentimento de pânico tomou conta de mim, e minha boca começou a gritar: "NÃÃÃÃOOO!"

Agarrei a toalha e me arrastei para fora do chuveiro pingando e totalmente coberta de sabão.

"Tá bom, Brianna!!", sussurrei meio que gritando. "ME. DÁ. ESSE. TELEFONE. *AGORA!*"

Mas ela apenas me mostrou a língua e continuou tagarelando ao telefone como se estivesse falando com um velho amigo do jardim de infância.

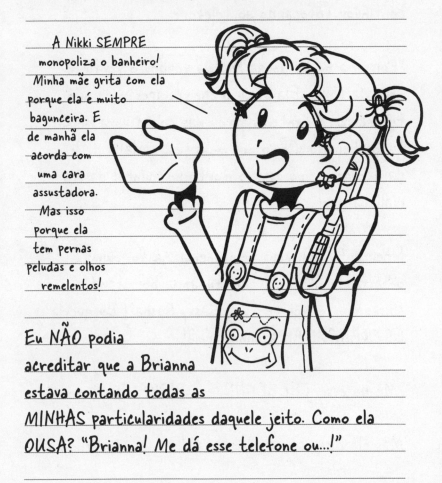

A Nikki SEMPRE monopoliza o banheiro! Minha mãe grita com ela porque ela é muito bagunceira. E de manhã ela acorda com uma cara assustadora. Mas isso porque ela tem pernas peludas e olhos remelentos!

Eu NÃO podia acreditar que a Brianna estava contando todas as MINHAS particularidades daquele jeito. Como ela OUSA? "Brianna! Me dá esse telefone ou...!"

7

"Diga 'por favor, eu imploro!'"

"Tá! Me dá esse telefone, por favor, eu imploro!"

"NÃO! Que pena, eu sinto muito!" E aí aquela pestinha mostrou a língua para mim (DE NOVO!) e continuou fofocando ao telefone.

"Pois é, a minha amiga Bicuda roubou o perfume novo da Nikki. Ela amou o cheiro, apesar de não ter nariz. A gente espirrou nas coisas para deixar tudo cheiroso. Como nos meus pés, na lata de lixo da garagem e no esquilo morto no quintal da sra. Wallabanger!"

Interceptar os meus telefonemas já foi ruim o bastante. Mas ela também anda borrifando coisas com o meu perfume Sassy Sasha?! Eu queria ESTRANGULAR a minha irmã!

"Me dá esse TELEFONE, sua PIRRALHA!", gritei.

Mas ela disse apenas "Até mais!" e saiu correndo.

Perseguir a Brianna foi MUITO perigoso!

Ai, meu Deus! Eu escorreguei e quase deslizei escada abaixo até a cozinha. Isso com certeza causaria uma queimadura de primeiro grau nas minhas costas! AI! Eu me encolhi toda só de pensar!

Acabei conseguindo encurralar a Brianna e estava prestes a atacar, quando ela soltou o telefone e saiu correndo e gritando pelo corredor. "Socorro! Socorro! O mofo do banheiro criou braços e pernas e está tentando me SUJAR! Chamem a polícia!"

Peguei o telefone e tentei parecer fria e indiferente, e não como se estivesse ali...

1. Enrolada na toalha de banho,

2. Pingando E

3. Coberta com sabonete suficiente para lavar um pequeno rebanho de lhamas bem sujas.

Tossi para limpar a garganta e atendi com o meu tom de voz mais fofo...

"Hum... ALÔ-Ô!!"

10

"Nikki? E aí? É o Brandon!"

Eu NÃO podia acreditar no que meus ouvidos estavam escutando. Aquela era a PRIMEIRA vez na vida que o meu paquera me telefonava! Pensei que fosse ter um ataque cardíaco bem ali.

"Oi, Brandon! Desculpa. Era a minha irmã menor. Ela inventa as histórias mais bizarras. Sério."

"Sem problemas! Então... liguei para dizer que vou convidar alguns amigos para minha festa de aniversário em janeiro. Queria que você, a Chloe e a Zoey viessem."

Foi quando desmaiei. Tá bom, *QUASE* desmaiei.

"Uau! Hum, que bom! Eu, é... Pode esperar um minutinho? Preciso fazer uma coisa."

"Claro. Quer que eu ligue mais tarde?"

"Não. É só um minuto."

Cuidadosamente, tampei o telefone com a mão e então comecei a ter um grave ataque de SMR, também conhecida como

SÍNDROME DA MONTANHA-RUSSA!!!

Tá bom. Talvez eu tenha exagerado um pouquinho.

O Brandon não estava me convidando para um encontro nem nada assim. Quem me dera!

De qualquer forma, quando terminamos nossa conversa, eu me belisquei bem forte para ter certeza de que não estava sonhando. AI!! Sim, eu estava acordada! O que quer dizer que CHLOE, ZOEY E EU FOMOS CONVIDADAS PARA A FESTA DO BRANDON ☺!!!

Vai ser demais! Mal posso esperar!

Principalmente levando em conta que sou a garota menos popular da escola e que quase NUNCA sou convidada para festas.

AI, MEU DEUS! ACABEI DE TER O PENSAMENTO MAIS TERRÍVEL ☹!!!...

Depois da conversa com a Brianna, o Brandon deve estar pensando que sou um tipo de...

MENINA DE PERNA PELUDA...

REMELENTA...

MALUCA!!!

Por que ele ia querer sair COMIGO?!!

Não tem A MENOR CHANCE de eu ir à festa do Brandon!

Vou telefonar para ele agora mesmo e dizer que não posso ir.

DÃ! Eu esqueci completamente! Eu AINDA preciso terminar meu BANHO! Vou telefonar para ele depois.

E então vou rastejar em direção a um buraco bem profundo e... MORRER DE VERGONHA!

☹!

SEGUNDA-FEIRA, 2 DE DEZEMBRO

Estou morrendo de medo de ver o Brandon na escola hoje.

É difícil acreditar que poucos dias atrás estávamos arrebentando juntos no show de talentos com a nossa banda, a Tontolícias (também conhecida como Na Verdade, Ainda Não Sei). Pois é, é um nome maluco e uma longa história.

Ele chegou até a me dar aulas de bateria. Parecia que FINALMENTE estávamos nos tornando amigos.

Mas então Brianna, a pirralha, ARRUINOU tudo!

Estou surpresa com o fato de o Brandon ter se preocupado em me convidar para sua festa. Aposto que ele só fez isso porque sente pena de mim ou algo do tipo.

Eu queria conversar com a Chloe e com a Zoey sobre tudo isso na aula de educação física, mas não consegui. Principalmente porque a sala toda estava cochichando sobre conseguir uma camiseta bem legal e GRÁTIS para a apresentação chamada *Holiday on Ice*.

Mas, depois que a nossa professora de educação física quase estourou meus tímpanos, tudo o que eu queria era que ela acidentalmente ENGOLISSE aquele apito idiota!

E então ela deu um enorme recado...

"Certo. Escutem, pessoal! Vamos começar nossos treinos de patinação no gelo na próxima semana. As notas serão baseadas no nível de habilidade que cada aluno alcançar. Mas, como parte da nossa tradição das festividades do Westchester Country Day e para incentivar o serviço comunitário, todos os alunos da oitava série que participarem do show beneficente *Holiday on Ice* do Westchester no dia 31 de dezembro poderão ensaiar durante a aula e tirarão 10. Sim, pessoal! Vocês ouviram bem! Vou distribuir notas máximas como água para incentivar essa grande causa. Apenas me avisem se farão o teste de habilidades ou a apresentação no gelo. Agora corram até a mesa e peguem uma camiseta *Holiday on Ice*. E depois comecem a se aquecer."

O lance da camiseta NÃO deu muito certo para mim.

Quando cheguei até a mesa, tudo o que havia sobrado era tamanho XXXXXG. A MacKenzie, obviamente, parecia pronta para a capa da edição de verão da revista *Seventeen*.

MACKENZIE, BELA E NA MODA COM A SUA NOVA CAMISETA

EU, PARECENDO UMA GELEIA FEIA E SEM FORMA

Eu estava tão... HORRÍVEL ☹!

É claro que a MacKenzie deu uma olhada na minha camiseta e começou a me dar um conselho sobre moda que eu não pedi. "Nikki, quer saber o que eu acho que você pode fazer para sua camiseta ficar estilosamente elegante e ainda por cima prática?"

"Não, MacKenzie. Na verdade, não quero."

"É só acrescentar uns sete centímetros de renda branca na barra, um véu e um buquê de flores, assim você pode usar a camiseta como vestido de NOIVA! Depois, só precisa PAGAR algum cara RIDICULAMENTE feio para se casar com você!"

NÃO dava para acreditar que ela estava dizendo isso bem na minha cara.

"Obrigada, MacKenzie!", eu disse, sorrindo com doçura. "Mas onde é que eu vou encontrar um cara ridiculamente feio? Ah, já sei! Por acaso VOCÊ tem um IRMÃO GÊMEO?"

Só a MacKenzie seria IDIOTA o bastante para fazer um vestido de noiva com uma camiseta cinco tamanhos maior. Mas isso porque o QI dela é MAIS BAIXO do que o de um vidrinho de esmalte vazio!

A IDEIA MUITO IDIOTA DA MACKENZIE DE FAZER UM VESTIDO DE NOIVA DESCOLADO COM UMA CAMISETA

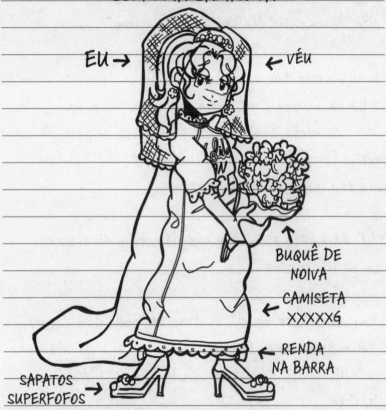

Chamar a MacKenzie de "garota malvada" é um elogio. Ela é um URSO feroz de francesinha nas unhas e aplique loiro no cabelo.

Mas eu não tenho inveja dela nem nada. Porque, né, ISSO seria superimaturo.

De qualquer forma, eu estava animada para patinar na aula. A última vez em que fiz isso foi, tipo, na terceira série, e foi muito divertido.

A Chloe disse que patinaríamos no rinque de hóquei no gelo do WCD.

Parece que a apresentação *Holiday on Ice* é bem importante, e só os alunos da oitava ao terceiro ano podem participar para arrecadar dinheiro para a instituição de caridade de sua escolha. O show doa três mil dólares para cada instituição que o patinador individual, dupla ou grupo representa.

Estávamos prestes a começar nossos exercícios quando, de repente, a Chloe lançou aquele olhar maluco e começou a balançar as mãos.

"Ei, pessoal! Adivinhem no que estou pensando!"

Mas eu já sabia. Ultimamente, ela anda obcecada por um novo livro chamado *A princesa do gelo*

21

É sobre uma menina e um garoto que são melhores amigos desde o ensino fundamental.

Ela está treinando para ser uma patinadora mundialmente famosa, enquanto ele está tentando uma vaga no time olímpico de hóquei.

Quando os dois estão prestes a se apaixonar, descobrem que seu rinque de patinação é o esconderijo dos Vambis Mortais do Gelo, seres meio vampiros, meio zumbis, cujas habilidades sobrenaturais de patinação se tornam cada vez melhores quando comem cheeseburger duplo com bacon.

"Não tem por que NÓS não sermos princesas do gelo também! Assim como a Crystal Pedra Fria!", Chloe suspirou, sonhadora.

Eu pessoalmente consigo pensar em DOIS motivos muito bons pelos quais NÃO PODEMOS ser como a Crystal.

Em primeiro lugar, não treinamos com um técnico de patinação nos últimos doze anos. Em segundo lugar, seria bem difícil matar Vambis Mortais do Gelo à noite e ainda conseguir fazer a lição de casa.

A Zoey lançou aquele olhar distante e melancólico.

"Que ROMÂNTICO! E os jogadores de hóquei SÃO bonitinhos! Além disso, prefiro muito mais fazer uma bela apresentação de patinação e tirar 10 do que fazer aquele teste de habilidades superchato. A gente vai se divertir muito! O que você acha, Nikki?"

"Não sei, meninas. Patinar para ajudar uma instituição de caridade é uma responsabilidade enorme. Eles vão depender da gente para conseguir dinheiro e ajudar o lugar a continuar funcionando. E se algo der errado?"

"Vai, Nikki!", resmungou a Chloe. "Não somos boas o suficiente para patinar sozinhas, e as duplas têm de ser formadas por uma garota e um garoto. Mas nós três podemos patinar em grupo. Não podemos fazer isso sem você!"

"Sinto muito, mas vocês vão ter de procurar outra pessoa!", eu disse, balançando a cabeça.

"Mas a gente quer VOCÊ!", a Zoey implorou.

"Sim, e não esqueça que a gente te apoiou quando você precisou da nossa ajuda no show de talentos", argumentou a Chloe. "Melhores amigas ajudam umas às outras!"

Tudo bem, eu tenho que admitir que a Chloe tinha razão sobre o show de talentos. Mas eu não tinha prometido entregar meu primeiro filho se elas cantassem comigo.

E então a Chloe e a Zoey usaram uma tática complexa que sempre me deixa sem ação...

POR FAVOR, POR FAVOR, POR FAVOR, POR FAVOR, POR FAVOR, POR FAVOR, POR FAVOR, POR FAVOR!!

IMPLORAR!!!

"Tudo bem, meninas! Eu PARTICIPO! Mas depois não digam que não avisei!", suspirei.

Selamos o acordo com um abraço coletivo.

"Ótimo! Agora a gente só precisa encontrar uma instituição de caridade da região para a qual possamos patinar", disse a Zoey.

"Infelizmente, essa vai ser a parte mais complicada", disse a Chloe. "Todos os alunos do ensino médio têm procurado instituições de caridade há algumas semanas. Então, estamos começando bem tarde. Mas tenho certeza de que vamos encontrar uma", acrescentou animada.

"AI, MEU DEUS!", gritou a Zoey. "Vai ser como nosso *Balé dos zumbis*! Mas vamos tirar 10 em vez de 0."

Na verdade, eu meio que gosto dessa parte também. Vai ser ótimo finalmente tirar 10 em educação física ☺!

Felizmente, patinação no gelo NÃO tem a ver com manchas embaraçosas debaixo do braço, nem com cólicas intestinais ou boladas na cabeça, como a maioria das coisas que somos forçados a fazer nas aulas de educação física.

E todo o nosso trabalho será por uma grande causa que ajudará a comunidade.

Mas, mais importante que isso, vou deixar a Chloe e a Zoey muito felizes permitindo que realizem seu sonho.

Decidimos patinar ao som da "Dança da fadinha de pirlimpimpim", já que fala de festividades. E percebemos que ser princesas-fadas seria superempolgante e glamouroso.

Então, não vou me estressar com todo esse lance de Holiday on Ice.

Desde que minhas duas melhores amigas fiquem ao meu lado, tudo vai dar certo.

Quer dizer, patinar fantasiada não DEVE ser tão difícil assim, né?

☺!!

TERÇA-FEIRA, 3 DE DEZEMBRO

Hoje na aula de estudos sociais falamos sobre objetivos de carreira.

Mas, como pretendo estudar em uma grande universidade para me tornar ilustradora profissional, decidi passar a hora escrevendo no meu diário.

Senti que era o mais certo a fazer, já que os professores sempre insistem para que a gente use bem o tempo da aula.

A maioria do pessoal não estava pensando muito no futuro.

Mas meu amigo Theodore Swagmire III estava totalmente obcecado por esse assunto.

E não adiantou nada o fato de a sala toda ter dado risada quando ele contou seus planos para o futuro. Eu fiquei com um pouco de pena dele. Ele é um dos caras menos populares do colégio.

E então, sendo a amiga gentil e encorajadora que sou, decidi incentivar o Theo a ir atrás de seu objetivo na vida:

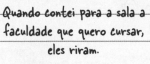

A boa notícia é que a nossa rápida conversa deixou o Theo se sentindo muito melhor ☺!!

A notícia RUIM é que ele começou a guardar a mesada para comprar uma varinha mágica ☹!

De qualquer forma, quando a aula terminou, o Theo perguntou se eu pretendia ir à festa do Brandon, em janeiro. Eu queria dizer a verdade e responder apenas que não.

Mas, em vez disso, inventei uma desculpa. E não foi só uma desculpinha esfarrapada, não. Foi uma BEM idiota, inacreditável e vergonhosa.

"Eu estava querendo ir. Mas descobri que tinha... humm... um compromisso... para levar meu... humm, unicórnio doente... ao... veterinário, sabe?"

O Theo fez cara de quem não entendeu nada e coçou a cabeça. "Você tem um unicórnio?"

Eu queria dizer "Ei, menino bruxo! Eu provavelmente consegui MEU unicórnio no mesmo lugar onde você vai comprar SUA varinha mágica!" Mas não fiz isso.

Então, na aula de biologia, meu dia muito ruim se tornou um completo DESASTRE!

Brandon e eu nos cumprimentamos, mas foi só isso. Durante toda a aula, ele ficou só meio que me olhando com cara de perplexidade.

Ele provavelmente estava me imaginando como um tipo de FERA REMELENTA DE PERNAS PELUDAS!

MacKenzie se aproveitou da situação e NÃO parava de falar!

Quase VOMITEI no meu relatório de laboratório quando escutei a MacKenzie perguntar ao Brandon se ele achava que seu gloss "frutas silvestres e sedução" combinava com a sua pele perfeita.

Não pude acreditar que ela teve a coragem de perguntar algo tão ridiculamente FÚTIL para ele.

Principalmente porque TODO MUNDO sabe que a pele perfeita da MacKenzie vem do salão VOCÊ-PAGA-A-GENTE-BRONZEIA do shopping.

Aquele bronzeado laranja que fazem nela é muito esquisito. Eu particularmente acho que ela fica parecendo uma Barbie Praia coberta de pó de Cheetos.

Então a MacKenzie soltou uma risadinha e disse: "Ah, aliás, Brandon, fiquei sabendo que você vai dar uma festa".

E eu, tipo: "Sim, MacKenzie! E você SÓ vai ficar SABENDO, porque você NÃO foi convidada!"

Mas eu disse isso dentro da minha cabeça, então só eu mesma escutei.

Fiquei chocada com o que aquela garota disse depois!

Ela tentou HIPNOTIZAR o Brandon para convidá-la para a festa flertando com ele e ENROLANDO e ENROLANDO e ENROLANDO os cabelos no dedo.

EU fiquei tonta só de vê-la fazendo aquilo.

Graças a Deus, nossa professora a interrompeu. "MacKenzie, se você tem tempo de bater papo na aula, por favor, vá para o fundo da sala e limpe todas as gaiolas dos hamsters. Caso contrário, SENTE-SE, POR FAVOR!"

A MacKenzie praticamente CORREU de volta para sua cadeira.

AI, MEU DEUS! Foi TÃO engraçado! Ela bem que mereceu.

Mas agora ela está ME lançando aquele olhar MALVADO do outro lado da sala, como se fosse culpa MINHA ela ter de limpar cocô de rato.

33

De qualquer forma, ainda acho que o Brandon me convidou por pena. Ele provavelmente não queria ferir meus sentimentos.

Amanhã pretendo dizer a ele que não poderei ir à festa porque tenho outro compromisso naquele mesmo dia.

O QUE vou fazer na verdade?

Ficar sentada na cama de pijama, OLHANDO para a parede e SOFRENDO!!!!!!! ☹!!

QUARTA-FEIRA, 4 DE DEZEMBRO

Hoje de manhã eu estava me sentindo meio mal.

Até mesmo a Chloe e a Zoey perceberam e me perguntaram se eu estava bem. Mas decidi NÃO contar a elas sobre minha conversa telefônica superembaraçosa com o Brandon. Principalmente depois que elas ficaram falando sem parar sobre como estavam ANIMADAS para a festa.

Quando eu estava indo almoçar, decidi parar no meu armário e guardar minha mochila.

Fiquei mais do que surpresa quando abri meu armário e um BILHETE caiu!

Primeiro, pensei que fosse da Chloe e da Zoey e que elas estivessem tentando me animar ou algo assim.

Mas então eu li o papel. Tipo, TRÊS VEZES!

AI, MEU DEUS! Pensei que fosse derreter bem ali na frente do meu armário...

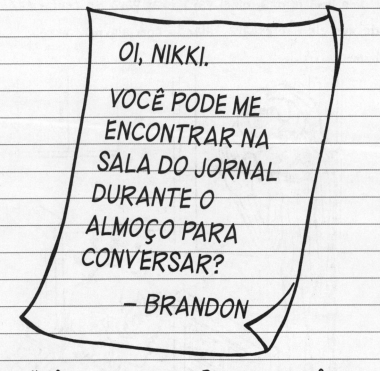

Eu não fazia ideia do que o Brandon queria falar comigo.

Meu coração estava disparado quando espiei dentro da sala do jornal. Imediatamente reconheci os cabelos despenteados atrás do monitor do computador.

"Nikki!", o Brandon sorriu, acenou e fez um sinal para eu me aproximar.

Como uma idiota, olhei para trás para me certificar de que ele não estava falando com alguma outra... humm... Nikki.

OI, BRANDON. VOCÊ QUERIA FALAR COMIGO?

"Sim. Na verdade, eu queria." Foi quando notei que o Brandon também parecia um pouco nervoso.

"Legal! ESTOU AQUI!", eu disse toda animada e mais alto do que pretendia.

"Certo, humm, conversei com o Theo ontem, e ele disse que você não vai poder ir à minha festa."

GLUP!

O Brandon conversou com o... THEO? AI, NOSSA!

Eu apenas continuei sorrindo feito boba enquanto o Brandon continuou: "Ele me falou que você tinha que cuidar de um... humm... unicórnio doente?"

Que beleza! AGORA, o Brandon vai pensar que sou uma remelenta, de pernas peludas, HIPOCONDRÍACA e ESQUIZOFRÊNICA!

"É mesmo? O Theo disse isso?" Pisquei sem parar de maneira inocente e sorri com nervosismo. "Isso é... bem hilário, na verdade. O Theo tem uma baita

39

imaginação. Assim como a minha irmã mais nova. Ela é uma gracinha, mas não se pode acreditar em nadinha do que ela fala. Principalmente se for sobre... MIM!"

"Pois é, eu sei", o Brandon riu. "Imagina se eu ganhar um dólar cada vez que a Brianna disser que tenho piolho."

De repente, ele me olhou tão intensamente que me retraí. "Nikki, você não achou de verdade que eu acreditei nas coisas que a Brianna disse sobre você, né?"

"Ai, MEU DEUS! Claro que não! Afinal, isso seria superimaturo!" Dei uma risadinha nervosa. "Na verdade, a Chloe, a Zoey e eu mal podemos ESPERAR para ir à sua festa."

Brandon abriu um sorrisão. "Legal! Eu fiquei um pouco preocupado."

"E aí, o que você está fazendo?", perguntei, tentando mudar de assunto.

Eu me inclinei para a frente e dei uma espiada na tela do computador.

Vi fotos de um cãozinho e de um gatinho muito fofos.

"AAAAHHHHH!", eu disse. "Eles são LINDOS!"

"Os dois são do Centro de Resgate de Animais Amigos Peludos. As fotos vão ser publicadas no *Westchester Herald* na semana que vem."

"Uau! Impressionante. O centro de resgate de animais paga para você fazer isso?"

"Não. Acho que podemos dizer que eu ofereço meu tempo. Quero ser veterinário um dia, por isso gosto muito de trabalhar com animais. Ainda que tirar fotos deles possa ser um grande desafio."

"Bem, acho ótimo você usar seu tempo para ajudar. Parece divertido!"

"É, sim. Ei! Por que você não vai comigo na sexta-feira? Você podia me ajudar também."

"Tudo bem! Isso seria MUITO legal!"

O Brandon tirou a franja dos olhos e me deu um sorriso meio torto.

De repente, eu me senti muito nervosa, animada e... enjoada.

E então nós dois sorrimos e ficamos vermelhos.

E todo esse lance de encarar, ficar vermelho e sorrir durou, tipo, uma ETERNIDADE!

Brandon e eu passamos o resto da hora do almoço conversando sobre o abrigo de animais.

Ele disse que o local era administrado por um casal quase aposentado e muito bacana, que era dono de um pet shop.

Depois, ele tirou algumas fotos da mochila e me mostrou todos os animais que haviam conseguido novos lares.

Então, além de ser um fotógrafo supertalentoso, o Brandon também tem um coração ENORME.

E tem mais! Fomos ao meu armário para pegar meus livros e fomos juntos para a aula de biologia!

^^^^^^^^^^^^
ÊÊÊÊÊÊÊÊÊÊÊÊÊ!!!

A Mackenzie ficou olhando para mim e cochichando com a Jessica a aula inteirinha, mas eu apenas ignorei.

Tudo bem, eu assumo. Eu estava enganada sobre o lance de o Brandon sentir pena e não querer ficar perto de mim.

Na verdade, estou bem animada para ir à festa dele.

E na sexta-feira vamos nos divertir MUITO como voluntários na Amigos Peludos!!

Morra de inveja, MacKenzie!!
☺!!

QUINTA-FEIRA, 5 DE DEZEMBRO

Hoje na biblioteca a Chloe e a Zoey estavam ocupadas, fazendo telefonemas para encontrar uma instituição de caridade para a apresentação do *Holiday on Ice*.

A Chloe ligou para nove lugares e a Zoey para sete, mas sem sucesso.

O prazo para inscrição é semana que vem, e não estamos nem PERTO de encontrar uma instituição.

Mas há ainda MAIS notícias ruins!

Acabei de descobrir que a MacKenzie também está planejando participar do *Holiday on Ice* ☹!!

Por que será que NÃO estou surpresa?

Provavelmente porque ela É uma princesa de gelo de coração gelado! Tá bom, talvez esse pequeno comentário maldoso NÃO seja totalmente verdadeiro.

O coração dela não é GELADO! Ela NÃO TEM coração!!

A MACKENZIE É UMA PRINCESA DO GELO SEM CORAÇÃO

Quando eu estava perto do meu armário, ouvi a MacKenzie se gabando para algumas GDPs (garotas descoladas e populares) que ela faz aulas de patinação desde os 7 anos e pretende patinar ao som de *O cisne branco.*

Mas esta é a parte mais maluca. Ela disse que CINCO instituições de caridade estão lhe IMPLORANDO para patinar para eles.

Dá para acreditar NISSO?! Estamos tendo dificuldades para encontrar uma só.

Se bem que, pensando nisso agora, ela provavelmente estava dizendo tudo aquilo só para impressionar.

A MacKenzie é uma MENTIROSA patológica! E uma enorme RAINHA DO DRAMA.

Eu sei que vai ser por uma boa causa. Mas estou começando a ter um pressentimento muito RUIM em relação a esse lance de *Holiday on Ice.*

☹!

SEXTA-FEIRA, 6 DE DEZEMBRO

Eu mal conseguia esperar até o fim das aulas. Todas elas pareciam se arrastar eternamente. Quando o último sinal tocou, eu corri até o meu armário e o Brandon já estava ali me esperando.

"Pronta?", ele perguntou sorrindo.

"Sim! Ah, espera! Tenho um presente para você, da Brianna", eu disse, procurando na minha mochila.

O Brandon fingiu que estava assustado. "Da Brianna?! Não sei se quero", ele provocou. "Ela diz que tenho piolho. Acho que ela não gosta de mim."

"Gosta sim. Bem... na verdade, não gosta!", dei uma risadinha. "Mas ela queria que eu lhe entregasse isso."

Eu entreguei ao Brandon quase dois metros de fita de cetim vermelho, e ele pareceu um pouco confuso. Então, brincou amarrando a fita em volta da cabeça.

"Ooooh! Era o look que eu queria!", ele brincou. "Diga à Brianna que pretendo usar todos os dias."

BRANDON ME FAZENDO MORRER DE RIR COM SEU SENSO DE HUMOR

Eu ri muito. "Não é para você, bobo. É para os animais. A Brianna disse que se amarrarmos fitas no pescoço deles, vão ficar parecendo presentes. E como todo mundo adora presente, eles encontrarão novos lares depressa."

"A menina é um gênio! Por que não pensei nisso antes?"

Eu estava uma pilha de nervos conforme percorríamos os quatro quarteirões até a Amigos Peludos.

Mas o Brandon não parou de rir o tempo todo.

Três novos cãezinhos tinham chegado, e cada um deles precisava ser fotografado.

Eles eram encantadores e brincaram mordiscando meus dedos.

Cortei a fita em três pedaços e amarrei ao redor do pescoço deles.

"Senta no tapete e segura o primeiro cãozinho no colo", instruiu o Brandon. "Sua blusa será o fundo perfeito para um close."

Terminamos em quarenta e cinco minutos, e o Brandon devolveu o último cãozinho à jaula.

Fiquei um pouco triste quando me aproximei para dar tchau. Gostei principalmente do menorzinho, que tinha uma mancha redonda em volta de um dos olhos. Ele latiu e balançou o rabinho para mim como se dissesse: "Por favor, não vai embora!"

Mas foi muito bom saber que eu estava fazendo alguma coisa para ajudá-los a encontrar um novo lar.

Eu estava prestes a sair quando o cachorrinho menor pressionou o focinho contra a porta da jaula e a abriu.

"Ei!", eu disse, surpresa. "Como você...?"

Mas, antes que eu pudesse terminar a frase, ele pulou no meu colo e me desequilibrou.

Os outros dois cachorrinhos correram atrás do primeiro.

"Ai!", eu gritei quando caí de costas no chão.

"Brandon! Me ajuda! Os cachorrinhos se soltaram!" Eu dei risadinhas conforme eles faziam cócegas no meu pescoço e no meu queixo.

Mas aquele garoto não me ajudou EM NADA.

Ele não só ficou RINDO de mim, como também ficou tirando fotos.

A câmera dele fazia um som como se ele estivesse fotografando para a semana de moda ou alguma coisa assim. Clique. Clique. Clique. Clique.

"Foi culpa minha!", ele riu. "Acho que fechei a jaula, mas não tranquei. Sorria e diga xis!"

"Brandon! Eu vou... MATAR você!" Eu ria enquanto tentava sem sucesso levar os cachorrinhos danados de volta para a jaula.

Terminamos e voltamos para a escola. Então, telefonei para a minha mãe ir me buscar.

Enquanto estávamos esperando, o Brandon fez um cartão de agradecimento muito especial para a Brianna...

Aqueles cachorrinhos estavam TÃO FOFOS na foto! Eu sabia que a Brianna ia AMAR o cartão!

E a fita vermelha foi perfeita. Eu não sabia em quem ficava melhor: no Brandon ou nos filhotes.

Então o Brandon me surpreendeu totalmente e imprimiu algumas das fotos que ele havia tirado durante a GRANDE FUGA DOS FILHOTES...

Não dava para acreditar que eu tinha perdido o equilíbrio e caído daquele jeito.

AI, MEU DEUS! E se o Brandon agora ficar achando que eu sou só uma enorme... DESAJEITADA? Ou, pior ainda, uma enorme desajeitada de PERNAS PELUDAS e REMELENTA?!

Tá bom, eu preciso tomar um CALMANTE e parar de me preocupar com o que ele pensa de mim.

Passar aquele tempo com o Brandon na Amigos Peludos não foi, tipo, um encontro nem nada disso.

Mas eu tenho que admitir: eu me diverti como NUNCA!

☺!

SÁBADO, 7 DE DEZEMBRO

É difícil acreditar que as festas estão chegando.

Minha mãe e eu passamos a maior parte da manhã decorando nossa árvore de Natal artificial.

Meu pai e a Brianna estavam ocupados do lado de fora, cuidando do que chamam de "projeto supermegasecreto".

Meu pai disse que a grande surpresa deles seria:

1. Espalhar a alegria das festas,

2. Ser fonte de grande orgulho para nossa família E

3. AUMENTAR drasticamente a renda da casa.

Mas eu queria que ele nos surpreendesse com algo mais prático.

Como um EMPREGO NOVO!

Um emprego que NÃO faça com que ele:

1. Trabalhe na MINHA escola.

2. Dirija uma van maluca com uma barata no teto.

3. Tenha que matar insetos.

4. Acabe com a minha já tão manchada reputação.

Finalmente, meu pai e a Brianna nos chamaram lá fora para vermos a surpresa.

Eu tive um sensação muito RUIM a respeito do projetinho deles antes mesmo de ver o que tinham feito. Principalmente porque, juntos, meu pai e a Brianna têm o QI de uma ESCOVA DE DENTE.

E eu estava certa!

Eu dei uma olhada na monstruosidade dos dois e fiquei completamente
SURTADA...

Eu fiquei, tipo, O QUE é ISSO?!

Andar por aí na van do meu pai com aquela barata pode ser uma experiência bem TRAUMÁTICA.

Mas para reparar o dano psicológico da Barata Noel, a árvore de Natal de nariz vermelho, vai levar anos e anos de terapia.

Olhei para o meu pai e para a Brianna sem conseguir acreditar. "Por favor! Digam que isso não passa de uma grande PEGADINHA!"

Foi quando a Brianna fez uma cara superséria e começou a falar baixo e com uma voz assustadora.

"Nikki, é melhor você tomar cuidado! Porque, na noite de Natal, a Barata Noel sai da plantação de abóboras e entrega doces e brinquedos para todas as meninas e meninos bonzinhos! E ela espirra veneno de barata nos olhos das crianças MALCRIADAS."

O que, aliás, é a coisa MAIS RIDÍCULA que eu já ouvi!!!

A Brianna deve me achar uma IDIOTA! Sei que a historinha dela não passa de um plágio de outra lenda muito conhecida.

Mas, no caso de ser verdade qualquer coisa que ela tenha dito a respeito do veneno de barata, vou começar a dormir de óculos escuros.

De qualquer forma, nesse fim de semana eu estava pensando seriamente em abrir o jogo com a Chloe e a Zoey sobre a minha bolsa de estudos no WCD e sobre toda essa coisa de o meu pai ser o exterminador de insetos do colégio.

Estou TÃO cansada de toda essa coisa de decepção e mentiras.

Eu não tinha a MENOR dúvida de que a Chloe e a Zoey eram minhas amigas DE VERDADE e que me aceitariam como sou.

Mas isso foi ANTES de a Barata Noel ter entrado para a minha DROGA de família!

Agora não posso contar às minhas melhores amigas, DE JEITO NENHUM!

☹!!

DOMINGO, 8 DE DEZEMBRO

Fiquei muito surpresa quando acordei hoje de manhã e olhei pela janela. Nevou muito ontem à noite e o chão ficou coberto com, tipo, quinze centímetros de neve.

Meu pai normalmente odeia nevascas. Mas hoje ele estava superempolgado para ir lá fora limpar a entrada da casa.

No outono, ele comprou um aspirador de neve velho e enferrujado em um bazar.

Meu pai sempre compra equipamentos perigosos em bazares. Nunca vou me esquecer de quando ele levou a gente para um lago numa canoa velha sem remos. Se não tivéssemos sido resgatados pelo helicóptero da Guarda Costeira, provavelmente teríamos nos afogado.

Meu pai não parava de falar que tinha conseguido uma verdadeira pechincha, porque um aspirador de neve novo custa cerca de trezentos dólares e ele só pagou vinte no usado.

Bem, agora a gente sabe por que o aspirador foi tão barato. O equipamento de sugar neve estava enferrujado e não saía de uma única posição....

MEU PAI, TENTANDO LIMPAR A FRENTE DA NOSSA CASA COM O ASPIRADOR DE NEVE QUEBRADO

Aquele aspirador com defeito ficava jogando neve bem na área que meu pai tinha acabado de limpar. Ele não percebeu o que estava fazendo de errado.

Coitado do meu pai, ele ficou umas três horas na neve tentando limpar a frente da casa. Minha mãe teve de ir lá fora e levá-lo para dentro antes que seus membros congelassem.

Acabei sentindo pena dele. E minha mãe também, porque ela entrou na internet e comprou um aspirador de neve novinho.

A notícia ruim é que a frente da nossa casa AINDA está cheia de neve.

Eu expliquei para minha mãe que estava disposta a fazer um enorme sacrifício e faltar à escola para ficar em casa por uma ou duas semanas, até o aspirador novo chegar.

Mas ela simplesmente me entregou uma pá e disse que se eu começasse a tirar a neve exatamente naquele instante a frente da casa ficaria limpa e eu poderia ir à escola na manhã seguinte.

É claro que a minha mãe não deu o menor valor para o enorme sacrifício que eu estava disposta a fazer.

☹!!

SEGUNDA-FEIRA, 9 DE DEZEMBRO

Hoje na aula de inglês nossa professora lembrou que nosso relatório sobre *Moby Dick* precisa ser entregue em nove dias. A gente tinha que ter começado a ler o livro em outubro, mas tenho andado muito ocupada com outras coisas.

É sobre uma baleia imensa e um marinheiro velho que tem um saco e uma postura muito ruim. NÃO estou mentindo mesmo!

Como a maioria das pessoas, pensei que Moby Dick fosse o nome do capitão ou algo do tipo. Mas na verdade é o nome da baleia. Tipo, QUEM, em sã consciência, daria o nome de Moby Dick a uma baleia?!

Nosso relatório deve ser sobre os motivos de o capitão e a baleia serem inimigos mortais. Mas, para ganhar tempo, estou pensando em pular a leitura e só escrever o relatório mesmo.

Afinal não é preciso ser especialista em literatura (nem ler o livro) para saber POR QUE aquela baleia provavelmente estava tentando matar o cara...

Ei, se a minha mãe ME chamasse de Moby Dick, eu também ficaria louca da vida.

Acho que clássicos velhos e empoeirados como esse deveriam vir com um adesivo na capa assim:

POR QUÊ? Porque *Moby Dick* é tão ridiculamente CHATO, que eu acabei pegando no sono, bati a cabeça na mesa e quase tive um traumatismo!!...

AI, MEU DEUS! Fiquei com um hematoma roxo enorme bem no meio da testa.

E eu só tinha chegado na SEGUNDA frase!

Como precaução, acho que os alunos deviam usar capacete enquanto leem livros como *Moby Dick* para evitar ferimentos.

Amanhã vou usar meu capacete de bicicleta na aula para evitar outros hematomas na cabeça.

Apesar de estar deprimida por ter de entregar o relatório na semana que vem, eu estava muito ansiosa para ver o Brandon hoje.

Eu queria dizer a ele que me diverti muito na Amigos Peludos. E que eu achava que um dia ele seria um grande veterinário. Mas infelizmente eu não vi o Brandon na hora do almoço e ele não estava na aula de biologia.

Foi a coincidência mais esquisita ouvir a Jessica e a MacKenzie fofocando sobre o Brandon enquanto eu estava no banheiro das meninas.

A Jessica disse que ele tinha sido chamado na sala da diretoria na primeira aula e que tinha deixado a escola por causa de assuntos familiares importantes. Bem, isso explicava tudo.

E tem mais! A MacKenzie disse que dizem por aí que o pai do Brandon é um rico diplomata norte-americano na embaixada francesa e que sua mãe é da realeza francesa.

Parece que a família dele morou em Paris por dez anos, mas ele nunca fala sobre isso porque provavelmente quer manter o fato de ser príncipe ou algo assim em segredo. E é por isso que o Brandon é fluente em francês.

E então a MacKenzie disse a Jessica que, como ela é voluntária na secretaria, devia dar uma olhada nos registros escolares do Brandon para ver se todos esses boatos são verdadeiros.

Mas a Jessica disse que não tem acesso a certas informações porque elas são mantidas em um computador especial na sala do diretor.

Fiquei chocada e horrorizada por ver que aquelas garotas estavam realmente falando sobre bisbilhotar registros altamente confidenciais dos alunos.

Não que eu estivesse ouvindo atrás da porta a conversa delas nem nada. Eu estava naquele banheiro cuidando totalmente da minha vida.

Só senti vontade de subir no vaso sanitário, ficar na ponta dos pés e espiar por cima da porta. Sabe como é, eu queria tomar um pouco de ar fresco!

A MACKENZIE E A JESSICA
FOFOCANDO SOBRE O BRANDON

Só espero que esteja tudo bem com o Brandon. Acho que ele pode ter tido uma consulta no dentista ou algo do tipo.

A Jessica e a MacKenzie estão sempre metendo o nariz onde não são chamadas!

Elas são tão PATÉTICAS!

Mas e se o Brandon for MESMO um príncipe ou alguma coisa assim?!! Ele FALA francês!

AI, MEU DEUS!!! ÊÊÊÊÊÊÊÊÊÊÊÊ!!

☺!!

TERÇA-FEIRA, 10 DE DEZEMBRO

Estou meio em CHOQUE agora ☹!!

O Brandon saiu de perto do meu armário faz uns trinta minutos. Percebi na hora que alguma coisa estava realmente o incomodando.

Ele me entregou o restante das fotos que tirou de mim durante a Grande Fuga dos Filhotes e me agradeceu pela ajuda.

Mas, quando comentei que eu tinha me divertido muito e que queria ser voluntária sempre, ele fez uma cara muito triste e olhou para o chão.

O Brandon explicou que tinha acabado de receber notícias muito ruins de Phil e Betty Smith, os donos da Amigos Peludos. O Phil quebrou a perna e terá de ficar no hospital pelos próximos dois meses.

Infelizmente, a Betty não tem como manter o abrigo aberto sem a ajuda dele.

O BRANDON ME CONTANDO A TRISTE NOTÍCIA SOBRE A AMIGOS PELUDOS

Assim que a Betty encontrar um lugar que aceitar os dezoito gatos e cachorros do abrigo, ela pretende vender o prédio para a floricultura ao lado.

Não é de surpreender que o Brandon estivesse tão chateado. A partir de amanhã, ele quer passar todas as tardes depois da aula ajudando a cuidar dos animais até eles serem transferidos para novos lares.

Eu me sinto muito mal por ele. Principalmente porque sei o quanto ele ama aquele lugar.

Eu contei isso para a Chloe e a Zoey na aula de educação física, e tivemos uma séria discussão durante os agachamentos sobre como podemos ajudar.

Foi aí que tive a brilhante ideia de patinarmos no *Holiday on Ice* para arrecadarmos dinheiro para a Amigos Peludos!

É claro que minhas melhores amigas ficaram superfelizes por FINALMENTE termos encontrado uma instituição de caridade. Elas também disseram que é a oportunidade perfeita para EU mostrar ao Brandon que sou uma boa amiga. Então, a Zoey disse...

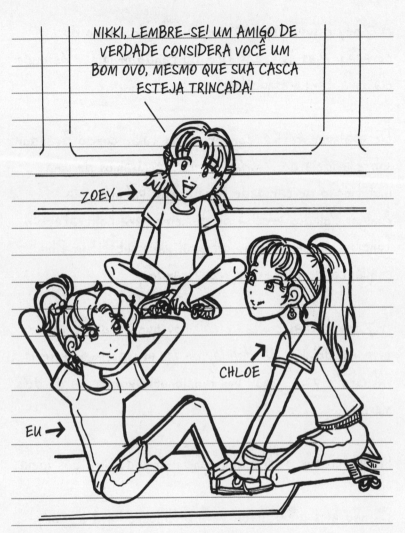

Eu meio que sorri para a Zoey e fiz que sim com a cabeça.

Mas, para ser sincera, não tinha a menor ideia do QUE ela estava falando! O comentário dela não tinha NADA a ver com o que estávamos discutindo!

A Zoey é superesperta e eu a amo do fundo do coração. Mas às vezes fico tentando imaginar de onde ela tira tanta esquisitice.

De qualquer forma, concordei em falar com o Brandon sobre a ideia do *Holiday on Ice*. Precisamos de uma instituição de caridade para a qual patinar, e a Amigos Peludos precisa de dinheiro para contratar um funcionário em período integral para substituir Phil enquanto ele estiver se recuperando.

A Zoey fez as contas e calculou que a doação de três mil dólares da *Holiday on Ice* provavelmente seria suficiente para pagar um funcionário por cerca de dois meses.

Só espero que o Brandon ache isso tudo uma boa ideia.

Eu não quis dizer nada para a Chloe e para a Zoey, mas estou muito preocupada com a concorrência que podemos ter em relação à Amigos Peludos.

Enquanto o Brandon conversava comigo na frente do meu armário, notei que a MacKenzie não parava de rodear a gente, fingindo que estava retocando o gloss labial.

CARAMBA! Dava para ela ter passado vinte e sete camadas de gloss durante o tempo em que passou escutando nossa conversa muito particular.

Aquela garota é uma COBRA e não vai dar sossego enquanto não conseguir o que quer.

Só espero que ela já tenha uma instituição de caridade, como ela andou se gabando para as suas amigas GDPs.

Porque se ela NÃO tiver...

As coisas vão ficar realmente FEIAS!

☹!!

QUARTA-FEIRA, 11 DE DEZEMBRO

Nesse exato momento eu estou tão BRAVA com a MacKenzie que seria capaz de... MORDER!

Minhas suspeitas estavam certas! De acordo com a fofoca que está rolando no colégio, a MacKenzie vai patinar para a Amigos Peludos!

SIM! AMIGOS PELUDOS!!! Eu fiquei, tipo, NÃO PODE SER!!

Não consigo acreditar que a MacKenzie está realmente tentando roubar MINHA instituição de caridade bem na minha cara. Eu tive a ideia primeiro, e ela sabe muito bem disso. Não vou desistir sem lutar!

Quando eu a encontrei no armário quase agora, ela teve a coragem de agir toda meiga e inocente. Até elogiou meu suéter novo. Quer dizer, mais ou menos.

Ela ficou, tipo: "Nikki! Que suéter LINDO! É o look PERFEITO! Para um CACHORRO. Meu poodle ia ADORAR!"

Aquela garota é uma ladra de instituição de caridade e FALSA!

Finalmente consegui encontrar o Brandon na sala do jornal na hora do almoço. Ele tinha algumas fotos de todos os animais da Amigos Peludos e estava ocupado digitando as descrições.

Ele explicou que a Betty está redobrando os esforços para tentar fazer com que todos os animais sejam adotados antes de o abrigo fechar, no fim do mês.

"AI, MEU DEUS!", exclamei. "Mas já?!"

Eu quis contar a ele sobre o nosso plano de tentar levantar um dinheiro para o abrigo por meio do *Holiday on Ice*.

Mas o Brandon parecia tão triste. A última coisa que eu queria era fazer com que ele se decepcionasse de novo.

Administrar o abrigo provavelmente exigia muito trabalho. E era bem possível que a Betty quisesse vender o prédio, pegar o dinheiro e se mudar para a ensolarada Flórida para jogar bingo todos os dias pelo resto da vida.

Se ela recusasse nossa oferta de ajudar a manter o abrigo funcionando, o Brandon ficaria mais triste do que nunca. Eu senti MUITA pena dele.

"Tem alguma coisa que eu possa fazer para ajudar?", perguntei.

O Brandon olhou para mim, e o rosto dele se iluminou no mesmo instante.

"Sim, você pode colocar estas fotos na ordem, de acordo com o número dos anúncios. Obrigado! E, independentemente do que acontecer, só quero que saiba que nunca vou te esquecer..." Ele agitadamente tirou a franja dos olhos e continuou. "Quer dizer, por ter me ajudado com todas essas coisas."

Eu fiquei um pouco surpresa por ele estar tão... sério. Tentei deixar o clima mais leve. "Ei, é pra isso que servem os amigos. Apesar de VOCÊ TER PIOLHO, CARA!"

Nós dois rimos muito da forma maluca como eu imitei a Brianna. Então, a gente meio que corou e riu um para o outro. E todo esse lance de rir, ficar vermelho e sorrir durou, tipo, uma ETERNIDADE.

Ou pelo menos até sermos RUDEMENTE interrompidos.

"Oi, pessoal!", a MacKenzie disse ao entrar na sala rebolando. "Cheguei!"

Então, ela jogou sua bolsa Prada bem em cima da pilha de fotografias que eu estava organizando para o Brandon.

BRANDON E EU, SENDO RUDEMENTE INTERROMPIDOS

Revirei os olhos para a MacKenzie e o Brandon pareceu superirritado.

Então, ela abriu um enorme sorriso bem forçado para ele. "Brandon, acabei de ter a ideia mais brilhante de todas. Você vai me agradecer tanto. Mas precisamos falar sobre isso A SÓS!", ela disse com a voz ofegante, enquanto piscava como se alguém tivesse acabado de soprar areia na cara dela ou alguma coisa assim.

AI, MEU DEUS! Ver aquela menina paquerar o Brandon tão descaradamente foi TÃO nojento que eu quase vomitei.

De repente, a MacKenzie olhou para mim e torceu o nariz como se tivesse sentido um forte cheiro de chulé. "Nikki, o que você está fazendo aqui? Você não sabe que esta é uma sala só para jornalistas experientes?"

"O que *eu* quero saber é POR QUE VOCÊ está vestida como uma aeromoça cafona", eu respondi. "Está aqui para escrever ou para distribuir pacotinhos de amendoim?"

A MACKENZIE COMO UMA AEROMOÇA CAFONA

"AMENDOIM PARA VOCÊ. E AMENDOIM PARA VOCÊ. TODO MUNDO VAI GANHAR AMENDOIM!!"

O Brandon riu, mas logo disfarçou com uma tosse falsa.

Ei! ELA que começou com as críticas de moda comentando sobre o suéter de cachorro. Eu só terminei.

A MacKenzie soltou uma risada aguda, como se ela estivesse achando a piada superengraçada. Mas seus olhos estavam lançando facões contra mim.

"E aí, no que você está trabalhando hoje?", ela perguntou ao Brandon, olhando por cima do ombro dele. Então, pegou a foto de um cachorrinho.

"AI, MEU DEUS! Eu AMO filhotinhos. Eles são daquele lugar chamado Amigos Peludos? Fiquei sabendo que eles vão fechar as portas. Só espero que essas pobres criaturas não sejam sacrificadas. Isso seria TERRÍVEL! Ei, tive uma ótima ideia! Talvez eu possa ajudar pati..."

O Brandon apertou o maxilar e rangeu os dentes. "Na verdade, MacKenzie, a Nikki e eu estamos cuidando de um projeto muito importante. Estamos meio ocupados agora. Então, se você não se importa, humm..." Ele tossiu de novo.

A MacKenzie definitivamente entendeu o recado.

"Ah! Bom... Eu não queria interromper nada. Só passei para pegar meu... meu..." Ela olhou ao redor desesperadamente até encontrar alguma coisa no chão.

"Meu... CLIPE! Isso, está bem ali. Sem querer, derrubei no chão ontem e estou procurando por ele em todos os lugares! Ainda bem que encontrei!"

"Fico muito feliz por você, MacKenzie!", eu disse de forma sarcástica.

"Bom, eu acho que falo com você mais tarde, Brandon. Quando você não estiver tão..." Ela me lançou um olhar furioso. "OCUPADO. Tchau!"

Ela abriu um sorriso falso, piscou para o Brandon e saiu da sala rebolando. Eu simplesmente ODEIO quando a MacKenzie rebola.

Ficou evidente que ela tinha ido conversar com o Brandon sobre patinar para a Amigos Peludos. E aí ela criou todo aquele drama por causa de um clipe de papel. Que coisa mais INFANTIL!

A Chloe, a Zoey e eu estamos planejando dar uma passada no abrigo no sábado para conversar com a Betty, a dona. Eu só espero conseguir falar com ela antes da MacKenzie. Acho que a MacKenzie também está MORRENDO de ciúmes porque o Brandon e eu temos passado mais tempo juntos ultimamente.

Mas a colega vai precisar:

1. Chorar um rio,

2. Construir uma ponte E

3. PASSAR POR CIMA!

☺!!

QUINTA-FEIRA, 12 DE DEZEMBRO

AAAAAHHHHH! Essa sou eu GRITANDO.

POR QUÊ? Eu ODEIO fazer aqueles provões de matemática, ciências e compreensão de texto que duram seis horas!

Sabe, aqueles em que a sua professora, sempre tão legal e simpática, de repente se transforma em um GUARDA DE PRISÃO DE SEGURANÇA MÁXIMA e caminha pela sala batendo o caderno de prova em cima da sua mesa.

Então, no começo da prova, ela pressiona o cronômetro e grita:

"PODEM COMEÇAR... AGORA!"

E, no fim da prova, aperta o cronômetro de novo e grita...

"POR FAVOR, PAREM... AGORA!"

E então ela diz: "LARGUEM o lápis. NÃO virem a página. Coloquem as MÃOS na cabeça. Vocês têm o direito de permanecer em silêncio. Tudo o que disserem poderá ser usado contra vocês. Também têm direito a um advogado..."

AI, MEU DEUS! É o suficiente para assustar qualquer um! Não é à toa que os alunos se dão tão mal nessas provas. Mas a pior parte é que comparam os seus resultados com os resultados de pessoas do seu estado e de outras partes do país. Isso faz com que VOCÊ pareça PÉSSIMO, porque os alunos daqueles colégios distantes nunca são mais BURROS do que os alunos do seu PRÓPRIO colégio!

E como burrice é mais CONTAGIOSA do que catapora, não há como superar os resultados das provas dos outros colégios.

Principalmente quando você se senta ao lado de um cara de dezessete anos que AINDA está na oitava série e que AINDA come meleca de nariz.

Então, nessas circunstâncias, POR QUE você ao menos TENTARIA conseguir um bom resultado na prova sendo que já sabe que sua pontuação vai ser PÉSSIMA? Só tô dizendo!

É por isso que eu gostaria de ver um provão de LIGUE OS PONTOS. Cada aluno preenche aqueles pequenos círculos no cartão-resposta, e o resultado da prova se baseia na BELEZA e CRIATIVIDADE do desenho.

Esse tipo de prova seria mais JUSTO e, ainda mais importante, muito mais FÁCIL ☺!

Mal posso esperar para estar entre o 1% de espertalhões do país E ganhar uma bolsa de estudos em Harvard.

Tudo por causa da minha obra de arte FABULOSA!!...

BORBOLETA EM ÊXTASE COM LÁPIS NÚMERO 2

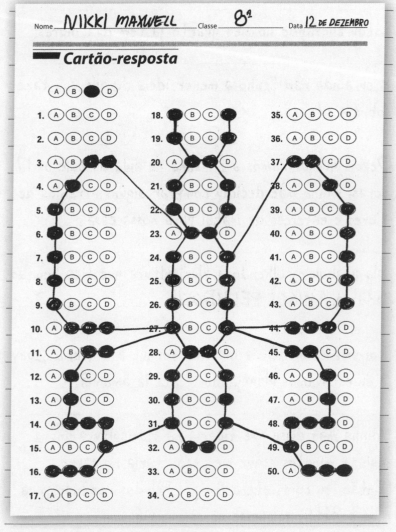

Eu não sou brilhante??!! ☺!!

SEXTA-FEIRA, 13 DE DEZEMBRO

Estou tão chateada agora que mal consigo escrever!

Estou chorando no meu quarto já tem duas horas.

E eu ainda não tenho a menor ideia do que vou fazer sobre a situação.

Depois que deixamos a Brianna na aula de balé às 17 horas, minha mãe decidiu comprar alguns arranjos de flores e enfeites de Natal para nossa casa.

Ela acabou escolhendo a floricultura que fica bem ao lado da AMIGOS PELUDOS!!

Foi uma coincidência incrível, porque a Chloe, a Zoey e eu estávamos planejando ir até lá amanhã.

Minha mãe disse que ficaria na floricultura uns quinze minutos e que me encontraria no carro. Então, eu corri até a Amigos Peludos rezando para que a Betty estivesse no escritório.

Assim que passei pela porta da frente, vi uma pilha de caixas de mudança vazias e senti um aperto no peito.

Parecia que eu tinha chegado tarde demais!

Espiei dentro de uma sala bem iluminada e vi uma mulher mais velha tirando quadros da parede.

"Com licença! Você é a Betty?", perguntei.

"Sim, sou eu, querida. Entre. Este é o momento perfeito para você adotar um dos nossos bichinhos, porque vamos fechar as portas muito em breve. Está interessada em um gato ou um cachorro?" Ela pegou uma prancheta e abriu um enorme sorriso para mim.

Gostei dela logo de cara.

E agora entendo por que o Brandon também gosta tanto dela.

"Preciso que você preencha alguns formulários. Mas a boa notícia é que você não terá de pagar nada!"

"Na verdade, não vim adotar um animal de estimação, apesar de serem lindos. Estive aqui na semana passada como voluntária. E agora gostaria de saber se podemos representar a Amigos Peludos em um projeto de serviço comunitário da escola".

A Betty fez sinal para eu me sentar.

"Bom, antes de tudo, obrigada por ter sido voluntária!", ela disse. "São pessoas maravilhosas e dedicadas como você que nos permitiram encontrar um lar para mais de duzentos animais este ano, até agora. Mas, infelizmente, meu marido caiu de uma escada enquanto pintava a cozinha alguns dias atrás e quebrou a perna em dois lugares diferentes. Não podemos continuar funcionando."

Não perdi tempo e imediatamente expliquei a ela sobre o *Holiday on Ice* e sobre como o dinheiro poderia ser usado para ajudar a manter o centro aberto por alguns meses. Tomara que até o marido dela se recuperar totalmente.

A Betty ficou muito emocionada e de repente começou a chorar...

NIKKI, VOCÊ DEVE SER MEU ANJO DA GUARDA!

Não fiquei nem um pouco surpresa ao ouvir o que ela disse depois:

"Sabe de uma coisa?! Pensando bem, recebi um telefonema ontem de uma garota a respeito do *Holiday on Ice*. Mas pensei que ela estivesse vendendo ingressos. Acho que o nome dela era Madison. Ou Mikaya..."

"MACKENZIE?"

"Sim! Isso mesmo. MacKenzie! Como você sabia?"

"Ah, foi só um palpite."

"Bem, Nikki! Me diga como posso inscrever a Amigos Peludos como instituição de caridade no *Holiday on Ice*. Estou muito ansiosa para ver você e suas amigas patinando."

Nossa reunião acabou sendo ainda melhor do que pude imaginar.

Ela me entregou seu cartão de visita com o número de telefone da casa dela e até com o número do hospital para que eu pudesse encontrá-la a qualquer hora do dia.

"Nikki, você não faz ideia de como isso é importante para mim, para o meu marido e principalmente para o nosso neto", disse ela. "Coitadinho! Ele já passou por coisas demais, perdeu os pais alguns anos atrás. E agora teremos de tirá-lo daqui e nos mudar para um novo estado no meio do ano. Eu estava com medo de dar a notícia a ele, mas, graças a você, não terei mais que fazer isso. Ele está nos fundos exercitando os cachorros. Só posso agradecer, muito muito obrigada!" Então ela me abraçou com tanta força que eu mal consegui respirar.

"Eu que agradeço! Obrigada por concordar em ser nossa instituição e permitir que patinemos para vocês", eu disse, um pouco emocionada. "Vamos tentar deixar a Amigos Peludos muito orgulhosa!"

Ao deixar o abrigo, notei uma cerca alta que cercava toda a propriedade.

Escutei o que pareceu uma matilha de cães latindo animados e não pude deixar de espiar.

Vi um garoto correndo com cerca de oito cães de tamanhos, cores e raças diferentes, incluindo os três filhotes.

Apesar de ele estar de costas para mim, pude ver que ele segurava uma bola de borracha macia e parecia estar em um animado jogo de futebol americano de garoto contra cachorros...

Ele correu com a bola pelo gramado, desviando de obstáculos imaginários, enquanto os cachorros corriam animados atrás dele, latindo e mordiscando seu calcanhar.

"E foi PONTO!!", ele gritou. "E a TORCIDA VAI À LOUCURA!! AAAAHHHH!"

Foi quando notei que a voz dele me parecia vagamente familiar.

Mas meu cérebro se recusou a fazer a ligação e, em vez disso, concluiu que ele apenas devia ter a voz parecida com a de um conhecido.

O garoto largou a bola e começou a fazer uma dancinha da vitória engraçada enquanto os cachorros latiam e corriam como doidos ao redor dele.

Então, ele e todos os cachorros se jogaram no chão, totalmente exaustos.

Quando finalmente vi seu rosto, fiquei paralisada e engasguei de susto...

De repente, o comentário que ele tinha feito alguns dias atrás, sobre nunca me esquecer independentemente do que acontecesse, ganhou um sentido totalmente novo.

Ele SABIA que, SE a Amigos Peludos fechasse, haveria a possibilidade de ele e seus avós se mudarem durante as festas de fim de ano.

NÃOOO!!! ISSO NÃO PODE ESTAR ACONTECENDO! AI, MEU DEUS! AI, MEU DEUS! AI, MEU DEUS!

Pode ser que eu e o Brandon NUNCA mais nos vejamos DE NOVO! ☹!!

SÁBADO, 14 DE DEZEMBRO

O choque com a descoberta sobre o Brandon finalmente está diminuindo.

Mas ainda tenho um milhão de perguntas:

QUEM é o Brandon, afinal?

DE ONDE ele é?

O QUE aconteceu com seus pais?

QUANDO ele começou a viver com os avós?

COMO ele foi parar no WCD?

E todas aquelas coisas que ouvi a MacKenzie e a Jessica dizendo sobre o Brandon no banheiro? Será que alguma coisa é verdade?

Só de pensar nisso tudo, minha cabeça fica zonza e meu coração dói.

Não consigo nem imaginar pelo que ele passou.

Mas não ouso mencionar nada disso a nenhuma viva alma. Nem mesmo a Chloe e a Zoey.

Se o Brandon quiser que alguém saiba, ele mesmo pode contar.

Bom, pelo menos uma coisa boa aconteceu hoje. Eu enviei a papelada, então agora é oficial!

A Chloe, a Zoey e eu vamos patinar na apresentação do *Holiday on Ice* para a instituição de caridade Amigos Peludos!

E eu pretendo fazer tudo o que estiver a meu alcance para ajudar a manter aquele lugar aberto.

Pelos animais.

Pela Betty e pelo Phil.

E, mais importante ainda, pelo... BRANDON!

EU SEI QUE POSSO FAZER ISSO. ☺!!

DOMINGO, 15 DE DEZEMBRO

ARRRGH!!

Estou tão irritada com a Brianna e com a Bicuda, que estou com vontade de... GRITAR!!

Mas, como isso tudo foi uma ideia IDIOTA da minha mãe, tecnicamente a culpa é toda DELA!

Depois de dar à luz duas filhas, era para ela ser uma mãe mais responsável!

Por que diabos ela pediria a MIM para assumir a tradição familiar de assar biscoitos natalinos para os amigos e para os vizinhos?

Eu devia ter desconfiado de que algo estava acontecendo quando minha mãe começou a agir de um modo bem esquisito durante o jantar.

Depois de arrumar a mesa, ela ficou ali, de pé, como um manequim ou alguma coisa parecida, se segurando à minha cadeira e me encarando de um jeito bem esquisito.

MINHA MÃE, MEIO QUE ME ASSUSTANDO!

Mas, como estava morrendo de fome, eu simplesmente a ignorei e continuei me empanturrando.

De repente, os olhos da minha mãe ficaram vidrados e ela parou de piscar. Aquilo só podia significar uma coisa.

Sabe-se lá como, ela devia ter batido a cabeça enquanto cozinhava a carne moída e precisava de atendimento médico urgente. Ou talvez NÃO.

"Mãe! Você está bem?", eu perguntei com a boca cheia de comida.

"Ah!" De repente, ela saiu do transe e abriu um enorme sorriso. "Eu só estava pensando em como seria maravilhoso passar a minha tradição dos biscoitos para você, para que um dia você possa dividi-la com a SUA filha."

"O QUÊ?!", eu tossi e quase engasguei com o purê de batatas.

POR QUE estamos falando sobre BEBÊS?

O Brandon e eu ainda NÃO TÍNHAMOS nem andado de mãos dadas!

Fiquei feliz por saber que a minha mãe tem lembranças tão agradáveis de assar biscoitos comigo quando eu era pequena...

MINHA MÃE E EU (AOS 5 ANOS) ASSANDO BISCOITOS NATALINOS

Sinto muito! Mas eu NÃO estava nem um pouco ansiosa para assar biscoitos com a minha PRÓPRIA filha.

Principalmente porque eu tenho medo de ela ser um TERRORZINHO, para me castigar por todas as DORES DE CABEÇA que eu causei à minha mãe...

EU E A MINHA FILHA (AOS 5 ANOS)
ASSANDO BISCOITOS NATALINOS

Foi quando a minha mãe colocou as mãos nos meus ombros e olhou bem dentro dos meus olhos.

"Nikki, você pode preparar os biscoitos natalinos este ano? Seria muito importante para mim."

Minha primeira reação seria gritar: "Mãe, para com isso! Você está me ASSUSTANDO!"

Mas, em vez disso, eu só dei de ombros, comi um pedaço de carne e murmurei: "Humm... tudo bem."

Tipo, não deve ser muito difícil assar biscoitos. As mães fazem isso o tempo todo. Não é?!

Quando o jantar terminou, minha mãe me deu a receita dos biscoitos para que eu pudesse começar. Então, ela foi ao shopping terminar suas compras de Natal.

O que mais me incomodou foi que a minha mãe, de maneira muito conveniente, não mencionou um detalhe muito importante. Eu teria que assar os biscoitos com a BRIANNA. ☹!!

Eu tentei preparar um jantar especial com a minha irmã em setembro, e foi um completo desastre.

E eu AINDA estava assustada com a terrível lembrança de quando fizemos sorvete caseiro no Dia de Ação de Graças e a Brianna e meu pai prenderam a língua na lateral de metal do troço de sorvete!

A Brianna entrou saltitando na cozinha.

"Oi, Nikki. Adivinha? Eu e a Bicuda estamos aqui para ajudar você a assar os biscoitos!"

Eu fiquei, tipo, QUE MARAVILHA ☹!!

Eu sabia que tinha de manter a Brianna bem ocupada para que ela não me atrapalhasse nem fizesse algo previsivelmente perigoso.

Como colocar a Bicuda no micro-ondas, na opção estourar pipoca para ver se ela se transformaria, como num passe de mágica, em um balde de pipocas.

Então, para distrair a Brianna, pedi que ela encontrasse duas assadeiras de biscoito.

As coisas pareciam ter começado bem. Eu já tinha medido todos os ingredientes e estava prestes a começar a mexer a mistura.

Foi quando a Brianna começou a fazer tanto barulho, que parecia que estávamos numa construção.

CLANK! BANG! KLUNK! CLANK!

"Brianna, eu mal consigo ouvir meus próprios pensamentos! Para de fazer esse barulho todo ou a minha cabeça vai explodir!", eu gritei.

Seus olhos brilharam. "É mesmo? Esse barulho vai fazer sua cabeça explodir? LEGAL!"

CLANK! BANG! KLUNK!

"Brianna! Para com isso! Ou eu vou chamar a mamãe!", ameacei.

"Olha pra mim!", ela disse, imitando um robô pela cozinha. "Sou o Homem de Lata do *Mágico de Oz*!"

BRIANNA, COMO O HOMEM DE LATA

"Desculpa, Brianna! Você NÃO é o Homem de Lata!", murmurei. "Você precisa de CÉREBRO pra isso! ISSO faria de você o ESPANTALHO!"

"Nikki! Eu tenho CÉREBRO, sim!", ela disse. "VIU?" Ela abriu bem a boca e apontou.

Eu puxei uma das cadeiras da mesa da cozinha e coloquei na frente dela.

"Apenas sente-se aqui e não se mexa, como um bom pequeno Homem de Lata. Finja que você está enferrujando ou alguma coisa assim. Entendeu?"

Misturei bem os ingredientes dos biscoitos, abri a massa e fiz pequenas árvores de Natal com os cortadores de biscoitos da minha mãe.

Então, coloquei tudo no forno. Quando eu me virei, a Brianna estava lambendo a colher.

"Brianna, não é para lamber a colher! Eu vou precisar dela para fazer a última fornada de biscoitos."

"É culpa da Bicuda, não minha. Ela está experimentando a massa de biscoito para ver se não ficou ruim. Ela está dizendo que você é muito boa em desenhos, mas a sua comida É UMA PORCARIA!"

NÃO consegui acreditar que a Bicuda estava falando mal de mim daquele jeito. Principalmente porque ela não é nem... humm... HUMANA de verdade.

Pensei em pegar o rolo de macarrão e dar algo ruim de verdade para a Bicuda "experimentar".

Mas, em vez disso, decidi sentar e relaxar assistindo TV na sala de estar enquanto meus biscoitos assavam por treze minutos.

Nem cinco haviam passado quando pensei ter sentido cheiro de queimado.

Corri para a cozinha de novo e a Brianna estava perto do fogão com aquela cara de quem tinha muita culpa no cartório.

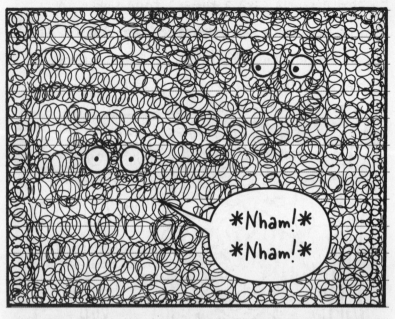
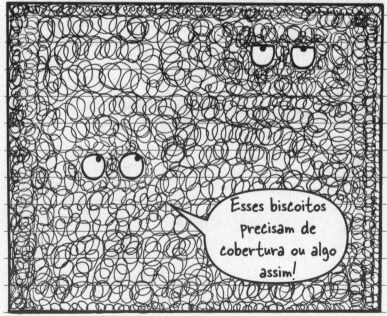

Eu abri a janela para a fumaça toda sair e torci para os bombeiros não aparecerem. AI, MEU DEUS! Eu vou simplesmente MORRER se a minha cara acabar aparecendo na primeira página do jornal!

EU, ESTAMPADA NA PRIMEIRA PÁGINA

Esse pequeno projeto de assar biscoitos se tornou um total e completo DESASTRE!

Agora, vou ter que telefonar para a minha mãe e dar a notícia de que ela vai precisar passar no mercado quando estiver voltando do shopping.

Porque este ano, graças à Brianna e à Bicuda, todos os nossos amigos e parentes receberão biscoitos natalinos assados em uma árvore oca pelos duendezinhos da Kleebler! Só tô dizendo... ☹️!!

Não posso acreditar que amanhã vamos mesmo começar a patinar na aula de educação física. Em breve estarei atravessando o gelo e dando giros duplos como uma profissional.

Pretendo ir para a cama uma hora mais cedo hoje, assim estarei atenta e bem descansada.

Vai ser estranho ficar perto do Brandon agora que sei pelo que ele está passando. Ainda estou muito preocupada com ele.

Mas acho que estou começando a gostar dele ainda MAIS! ☺️!!

SEGUNDA-FEIRA, 16 DE DEZEMBRO

Neste exato momento, eu estou TÃO frustrada que estou com vontade de GRITAR ☹!!

Hoje foi meu primeiro dia de patinação no gelo no rinque do colégio na aula de educação física e foi um completo DESASTRE!

Só ficar de pé no gelo foi, tipo, dez vezes mais difícil do que eu pensei que seria.

POR QUE, POR QUE, POR QUE eu em algum momento concordei em participar dessa apresentação idiota do *Holiday on Ice*?

Eu devia estar sofrendo de INSANIDADE temporária.

E não ajudou nada o fato de a MacKenzie estar ESPUMANDO DE ÓDIO porque a Chloe, a Zoey e eu vamos patinar para a Amigos Peludos, e não ELA.

Como sempre, aquela garota deu um jeito de ACABAR com a minha vida...

Não acredito que a MacKenzie disse isso bem na minha cara.

A classe toda ouviu também. Parecia que todo mundo estava rindo de mim pelas costas.

AI, MEU DEUS! Eu fui muito mais que HUMILHADA!

ERA para treinarmos nossa apresentação na aula de educação física.

Mas NÃÃÃÃOOOO! Eu não treinei nada. POR QUÊ?

PORQUE EU SOU TÃO PÉSSIMA PATINANDO NO GELO, QUE NÃO CONSEGUI NEM ME MANTER DE PÉ! FOI POR ISSO!!

A Chloe e a Zoey até me seguraram como se eu fosse uma criancinha desajeitada dando os meus primeiros passos. Mas MESMO ASSIM eu caí!

A ÚNICA coisa que consegui fazer muito bem foi um movimento que exigia pernas muito bambas.

Bom, sinto muito por decepcionar aquelas GDPs esnobes! Mas qualquer dança que eu pudesse estar fazendo foi totalmente SEM QUERER!

A Chloe e a Zoey me disseram para relaxar e ter paciência, porque talvez fossem necessárias três ou quatro semanas de treino até eu conseguir ao menos patinar sozinha.

Mas nossa apresentação no gelo será daqui a DUAS SEMANAS!! Amigas, façam as CONTAS!

A Zoey sugeriu que eu lesse o livro *Patinação para idiotas*.

E a Chloe disse que pode me emprestar seu romance *A princesa do gelo*.

Mas particularmente acho que livros não vão me ajudar muito.

As únicas DUAS coisas de que realmente preciso agora são:

Um daqueles andadores que pessoas muito idosas usam, porque seis pernas no gelo são melhores do que apenas duas...

E um travesseiro bem macio, porque agora eu tenho uma dúzia de hematomas por ter caído com o traseiro no chão e NÃO vou conseguir me sentar por uma semana...

Infelizmente, vamos treinar nossa apresentação no gelo na aula de educação física pelo resto da semana.

E então nos dias 26, 27 e 30 de dezembro, teremos três sessões especiais de treino para a apresentação do dia 31.

Não quero ser chata e pessimista, mas essa história de patinação no gelo está se tornando um verdadeiro PESADELO!

AAAAAAHHHHHHH!!!!

Isso aí fui eu gritando de frustração. DE NOVO!

Mas preciso manter a calma e continuar focada.

Não posso fracassar. Porque, se isso acontecer, o Brandon terá de se mudar, e ele já passou por traumas demais na vida.

AI, MEU DEUS! Em que enrascada eu me enfiei??!

☹!!

TERÇA-FEIRA, 17 DE DEZEMBRO

Estou sentada no meu quarto tentando NÃO TER UM ATAQUE.

Eu simplesmente ODEIO quando faço as coisas de última hora.

Meu relatório sobre *Moby Dick* tem que ser entregue em menos de catorze horas e eu só vou começar isso agora.

Mas "isso" não quer dizer o RELATÓRIO.

Vou começar a LER o livro idiota ☹!!

Meu maior medo é que o livro possa piorar um grave problema de saúde que eu tenho.

Sabe, eu sou superALÉRGICA a... coisas CHATAS!

Existe a possibilidade de que, enquanto estiver lendo *Moby Dick*, eu sofra uma GRAVE reação alérgica em decorrência do TÉDIO extremo e tenha um choque anafilático.

Posso até, tipo... MORRER!!

MINHA MORTE ESTÚPIDA E DOLOROSA CAUSADA POR TÉDIO EXTREMO DEVIDO À LEITURA DE *MOBY DICK*

E aí minha professora me daria um belo INCOMPLETO como nota por eu não ter terminado a tarefa!

AI, MEU DEUS! E se ela me deixar de RECUPERAÇÃO no verão para compensar essa falha? Já pensou que HORROR?!

Felizmente, eu já estaria MORTA graças à minha reação alérgica ao tédio ☺!!

Bom, eu não fazia ideia de como leria o livro todo, de 672 páginas, E como faria o relatório a tempo. Mas eu estava DETERMINADA a fazer isso.

Então, eu peguei meu *Moby Dick* e comecei a ler o mais rápido que meus pequenos globos oculares conseguiam.

A boa notícia era que se eu lesse seis páginas por minuto, poderia terminar o livro em menos de duas horas ☺!!

Fiquei agradavelmente surpresa por não ter cochilado logo de cara nem tido complicações de saúde por causa da minha alergia ao tédio.

Mas, depois de um tempo que parecia, tipo, não acabar mais, eu estava tão exausta mentalmente que as palavras pareciam um borrão na página. Foi quando decidi fazer um curto intervalo de quinze minutos.

Ainda mais porque, de acordo com o meu relógio, eu estava lendo havia sete minutos E já tinha percorrido três páginas inteiras.

Depois de refazer as contas, descobri algo chocante e muito cruel.

No ritmo em que eu estava, eu ia demorar uma ETERNIDADE para ler o livro, isso se eu NÃO parasse para descansar, comer, beber água, dormir nem ir ao banheiro.

Não fiquei NEM UM POUCO feliz com essa situação.

Foi quando senti uma vontade maluca de arrancar uma a uma as páginas daquele livro, jogá-las no VASO SANITÁRIO e dar descarga pulando num pé só.

NÃO ME PERGUNTE O MOTIVO! Eu estava sofrendo de esgotamento mental.

Como eu NÃO QUERIA ler *Moby Dick*!

Acabei fazendo uma lista...

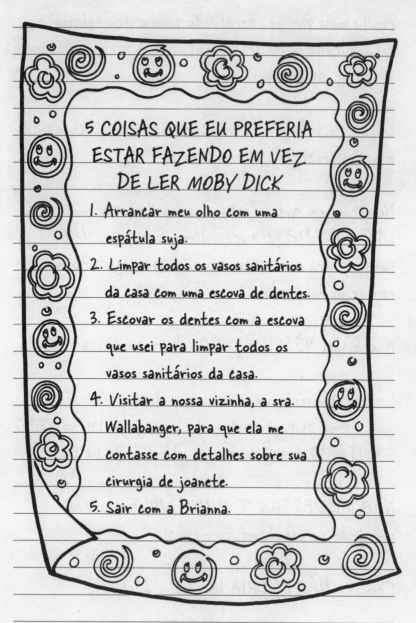

SAIR COM A BRIANNA?!

NÃO pude acreditar que escrevi uma coisa dessas.

Principalmente depois de ela ter me irritado no jantar.

COMO?

Abrindo a boca e me mostrando o refogado de atum com brócolis parcialmente mastigado.

Com suco havaiano escorrendo pelo nariz.

AI, MEU DEUS! Aquilo foi tão NOJENTO que eu não consegui nem terminar de comer!

E estou enjoada de novo só de pensar.

Enfim, eu já estava cansada. Fechei o *Moby Dick* e o joguei do outro lado do quarto, totalmente frustrada.

Então, atravessei o corredor e dei uma espiada no quarto da Brianna.

"Ei, Brianna. E aí?"

Ela estava deitada no chão, brincando de boneca.

"A bruxa velha e má jogou a princesa de pirlimpimpim no mar, e agora o bebê unicórnio está tentando salvar a princesa. Mas, como ele não sabe nadar, o bebê golfinho mágico tem que ajudar", Brianna explicou.

"Parece divertido!", eu disse.

"Quer brincar também?", a Brianna perguntou animada.

"Claro!", eu disse, e me sentei no chão ao lado dela.

Certo, o que era mais importante?

Passar um tempo de qualidade com a minha irmãzinha linda ou ler *Moby Dick*?

A minha mãe ficaria orgulhosa!

BRIANNA E EU BRINCANDO DE BONECAS

A Brianna pegou o bebê golfinho mágico e começou a gritar: "Rápido, bebê unicórnio! Entre no meu barco dos sonhos e vamos salvar a princesa de pirlimpimpim."

Coloquei o bebê unicórnio dentro do barco e imitei o Alvin de *Alvin e os esquilos* da melhor forma que consegui. "Certo, vamos lá! Obrigada por me ajudar, bebê golfinho mágico! Como posso retribuir?"

"Você pode vir à minha festa de aniversário e trazer muitos doces! Vou fazer uma festa da pizza na Queijinho Derretido. Com bolo de chocolate também", a Brianna disse animada.

"Oooh! Que demais! Eu ADORO a Queijinho Derretido! E bolo de chocolate", ~~eu disse~~ o bebê unicórnio disse.

"Mas cuidado com os tubarões!", completou o bebê golfinho mágico. "Eles têm dentes muito afiados, sabia?"

"AAAAAHHHH! TUBARÕES! Me tira daqui!", o bebê unicórnio gritou enquanto fugia e se escondia.

"Espera! Volta, bebê unicórnio! Quem vai salvar a princesa de pirlimpimpim?", o bebê golfinho gritou.

"Sei lá! Chame a polícia! Os tubarões têm dentes muito afiados. Eu sou alérgica a dentes afiados!", o bebê unicórnio gritou histericamente.

A Brianna sorriu. "Nikki! Está igualzinho ao FILME da princesa de pirlimpimpim! Só que mais DIVERTIDO!"

Foi quando uma pequena lâmpada acendeu na minha mente. BARCO?! PEIXES?! DENTES AFIADOS?! FILME?

"Brianna! Tive uma ideia! Vamos fazer um filme de verdade! Você vai encher a banheira e eu vou pegar a câmera do papai. Vai ser demais!"

A Brianna gritou de alegria. "ISSO! Vou colocar meu maiô da princesa de pirlimpimpim."

Voltei correndo para o meu quarto e dei uma lida na folha do relatório de *Moby Dick*.

Dizia: "Por favor, concentre-se em dois assuntos principais — o sentido figurado da baleia, Moby Dick, e a virada do destino. Seu relatório pode ser escrito ou apresentado em qualquer outro formato. SEJA CRIATIVO!"

Que notícia EXCELENTE!

Eu li rapidamente as últimas páginas do livro.

Senti um pouco de pena daquele Capitão Ahab. No fim, ele ficou tão envolvido na busca por vingança que foi literalmente longe demais na tentativa final de matar aquela baleia.

Eu rapidamente juntei alguns adereços. Então, fiz um teste para os atores e distribui os papéis.

É claro que a Brianna quis ser a ESTRELA do filme.

E, como nenhum daqueles atores adolescentes da Disney e da Nickelodeon estavam por perto, acabei cedendo e a deixei participar.

MOBY DICK — LISTA DE PERSONAGENS

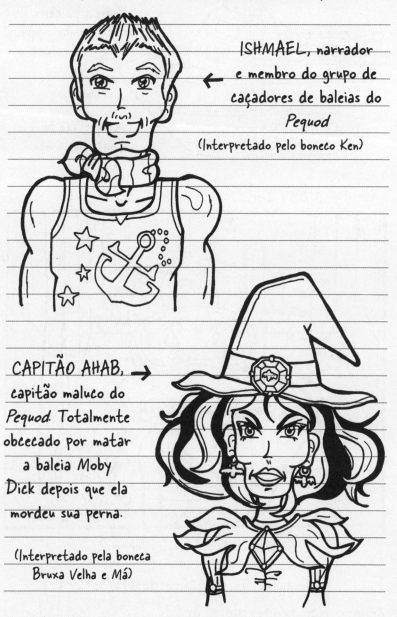

ISHMAEL, narrador e membro do grupo de caçadores de baleias do *Pequod*
(Interpretado pelo boneco Ken)

CAPITÃO AHAB, capitão maluco do *Pequod*. Totalmente obcecado por matar a baleia Moby Dick depois que ela mordeu sua perna.

(Interpretado pela boneca Bruxa Velha e Má)

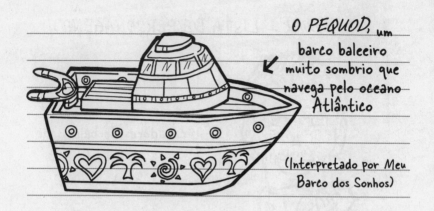

O PEQUOD, um barco baleeiro muito sombrio que navega pelo oceano Atlântico

(Interpretado por Meu Barco dos Sonhos)

MOBY DICK, a baleia-branca assassina

(Interpretada por Brianna Maxwell)

Fazer a filmagem foi bastante desafiador. Para criar o mar tempestuoso, decidi usar um ventilador.

CERTO! LUZES, CÂMERA, AÇÃO!

Terminamos de filmar em mais ou menos uma hora. Acho que meu filme ficou muito bom. Principalmente levando em conta o fato de que eu tinha um elenco inexperiente e nenhum orçamento, e ainda por não ter uma boa locação.

Só espero conseguir uma nota decente.

Mas o mais importante é que aprendi uma lição essencial sobre os perigos da procrastinação...

NUNCA, JAMAIS, espere até o último minuto para fazer uma tarefa importante do colégio!

A MENOS, é claro, que a sua irmãzinha consiga fazer uma boa interpretação de baleia assassina! RAAAARR!

Estou pensando em inscrever meu vídeo em um daqueles famosos festivais de filmes de Hollywood.

Quem sabe? Talvez um dia *Moby Dick luta contra a princesa de pirlimpimpim no barco dos sonhos* seja exibido nas salas de cinema da cidade toda.

!!

QUARTA-FEIRA, 18 DE DEZEMBRO

AI, MEU DEUS ☹!!

Nunca me senti tão HUMILHADA em toda minha vida!

Hoje na aula de educação física nossa professora disse que passaríamos a aula toda assistindo à apresentação de um grupo muito especial de patinadores.

Ela disse que eles eram talentosos e esforçados e que mereciam nosso mais alto respeito e admiração.

Depois, explicou que os avaliaria enquanto a sala observava.

Fiquei tão feliz e aliviada ao saber disso que acabei fazendo a "dancinha feliz do Snoopy" na minha cabeça.

Sou mesmo péssima na patinação. E, em vez de melhorar, juro que parece que eu só PIORO.

Eu estava ansiosa para ver aqueles alunos supertalentosos patinando. Talvez eu até conseguisse aprender uma ou duas coisinhas.

E então as coisas ficaram MUITO estranhas.

A professora pediu para a MacKenzie, a Chloe, a Zoey e eu nos levantarmos.

Em seguida, ela disse que cada uma de nós faria uma apresentação individual de patinação, da mesma coreografia que estávamos ensaiando para o *Holiday on Ice*.

É claro que a MacKenzie, a Chloe e a Zoey ficaram muito animadas para exibirem suas habilidades no gelo.

E EU? Quase fiz XIXI na calça! Todas as células do meu corpo quiseram fugir dali GRITANDO. Mas, em vez disso, eu apenas dei de ombros e disse: "Hum... tá bom".

Apesar de a MacKenzie ainda não ter encontrado uma instituição de caridade, sua coreografia estava simplesmente perfeita.

No gelo, ela parecia uma delicada e graciosa princesa da neve ou alguma coisa do tipo...

Quando a MacKenzie terminou sua apresentação, recebeu uma salva de palmas da sala toda. E a nossa professora lhe deu a fantástica nota 9,5! Fiquei praticamente verde de inveja.

Eu era a próxima. Ao me aproximar do rinque, pronunciei algumas palavrinhas de incentivo para mim mesma. EU CONSIGO FAZER ISSO! EU CONSIGO FAZER ISSO! EU CONSIGO FAZER ISSO!

Terminei minha apresentação tropeçando nos meus próprios pés e deslizando de barriga pelo gelo como um DISCO DE HÓQUEI HUMANO.

E bem quando pensei que aquilo não podia ficar pior, bati na rede do gol e ela caiu, me prendendo ali dentro...

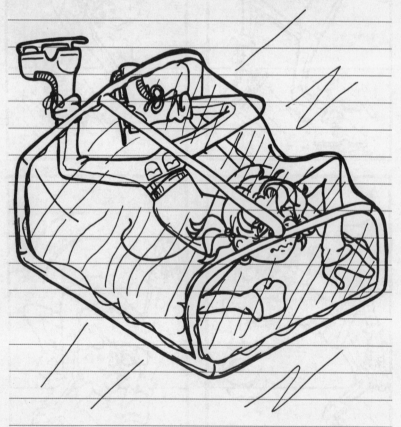

...como se eu fosse uma espécie de LAGOSTA GIGANTE de brilho labial, brincos de argola e patins de gelo.

Obviamente, todos os atletas ficaram de pé e gritaram: "GOOOLLLL!!", batendo as mãos no alto.

Parecia que a sala toda estava apontando para mim e rindo. Tive muita, muita vontade de chorar. Não sabia o que mais doía, meu estômago ou meu ego.

Então, para aumentar ainda mais o estrago, vi minha pontuação...

Eu NÃO pude acreditar que a minha professora tinha me dado MENOS QUATRO!

Ei, eu NÃO sou árbitra profissional nem nada. Mas qualquer IDIOTA sabe que não existem notas negativas na patinação!

Fiquei TÃO brava! Acabei dando uma bronca na minha professora na frente da sala toda.

"Olha aqui, amiga! Quero ver VOCÊ levantar O TRASEIRO GORDO daí e ir até o gelo SEM QUEBRAR O QUADRIL ou alguma coisa assim!!"

Mas isso tudo eu disse dentro da minha cabeça, então só eu mesma escutei.

A Chloe e a Zoey correram para me ajudar a levantar e perguntaram se eu estava bem.

Eu disse a elas que estava bem, sim, obrigada! Então, fui direto para o vestiário feminino e comecei a escrever no meu diário.

Tenho certeza de que a Chloe e a Zoey farão uma apresentação muito boa.

E então vão ser aplaudidas de pé por todos da sala e receberão notas altas da professora, assim como a MacKenzie!

Porque as três são patinadoras muito talentosas.

Bem diferente de MIM!!

Mas não estou com inveja delas nem nada.

Porque, né, isso seria superimaturo!!

Desculpa! Mas NÃO POSSO MAIS CONTINUAR COM ISSO!!

DESISTO!!
☹!!

QUINTA-FEIRA, 19 DE DEZEMBRO

Eu me senti muito mal por desistir sabendo que havia tanto em jogo para o Brandon e para a família dele.

Mas a apresentação seria em onze dias. Não havia a menor chance de eu melhorar o bastante para NÃO dar o maior VEXAME.

A diretora do show de patinação é a Victoria Steel, uma famosa patinadora do gelo e medalhista olímpica.

A Chloe disse que ela é superexigente. Grita com os patinadores quando caem, ainda que seja apenas um evento de caridade. E no ano passado ela chegou a cortar uma patinadora de uma apresentação porque disse que a garota era uma vergonha!

Se eu continuasse na equipe da Amigos Peludos, corria o risco de fazer com que fôssemos cortadas da apresentação e perderíamos os três mil dólares necessários para manter o abrigo aberto.

Eu não podia correr esse risco.

Ontem, a MacKenzie AINDA precisava de uma instituição de caridade. Então, a coisa mais madura e responsável a fazer era ~~pedir~~ IMPLORAR para ela assumir meu lugar e patinar para a Amigos Peludos.

Eu não tinha mesmo outra opção.

Essa era a ÚNICA maneira de ajudar o Brandon.

E SIM! Eu me senti PÉSSIMA!

Meu maior medo era que ele me achasse imatura, indisciplinada, incapaz, indelicada e egocêntrica!

Planejei explicar tudo para ele amanhã e depois dar a notícia para a Chloe e a Zoey.

Mas o Brandon acabou aparecendo hoje enquanto eu estava trabalhando na biblioteca.

A Chloe e a Zoey tinham acabado de sair para apanhar várias caixas de livros novos na secretaria, e eu era a única na recepção.

EU, SEM NOTAR QUE O BRANDON ESTAVA ALI ME OBSERVANDO ENQUANTO EU ESCREVIA NO MEU DIÁRIO

"Oi, Nikki!"

"AI, MEU DEUS! BRANDON? Oi! Não vi que você estava aí esperando!"

"E aí, como anda a patinação?"

"Na verdade, queria conversar com você sobre isso. Tem uma coisa que preciso te contar. E queria que você desse um recado à Betty."

"É mesmo?!", o Brandon perguntou, sorrindo. "Que engraçado, porque tenho um recado DELA para VOCÊ."

"Tem, é? Então pode falar primeiro", eu disse.

"Não estou com muita pressa. Pode falar você primeiro."

"Não! VOCÊ!"

Olhei para ele e ele olhou para mim.

"TÁ BOM! Eu falo!", nós dois dissemos isso ao mesmo tempo.

E então a gente riu.

"Eu desisto, Maxwell. Você ganhou! Vou falar primeiro...", o Brandon riu.

Então, ele se abaixou e pegou uma sacola.

"A Betty pediu para eu entregar isto para você. Ela disse que não seria capaz de manter o abrigo funcionando sem a sua ajuda, e é só um presentinho como forma de agradecimento."

O Brandon tirou a franja dos olhos e abriu um sorrisão.

Eu fiquei olhando para a sacola e depois para o Brandon, e então mais uma vez para a sacola e em seguida para o Brandon de novo.

"E então", o Brandon ainda estava segurando a sacola, "por que não abre? Preciso ter certeza de que você gostou."

Ao pegar a sacola dele, abri um enorme sorriso bobo e fiquei muito vermelha.

Apesar de estar sorrindo por fora, eu estava arrasada por dentro.

Como eu diria ao Brandon que desistiria da apresentação depois de a Betty ter acabado de me mandar um presente de agradecimento?

Dentro da sacola havia uma caixinha fina embrulhada para presente. O papel de presente tinha fotos dos cãezinhos mais fofos usando laços vermelhos. Exatamente como as nossas fotos da Grande Fuga dos Filhotes.

Mas então eu observei com mais atenção. ERAM as nossas fotos! O Brandon tinha imprimido todas elas para fazer um papel de embrulho.

"OWWWNNN!! Que lindo!", eu me emocionei.

Rasguei o embrulho e dentro da caixa havia um DVD do filme *A dama e o vagabundo*.

"AI, MEU DEUS, Brandon! Esse era meu filme favorito quando eu era criança! É PERFEITO!"

O Brandon sorriu. "Eu estava torcendo para você gostar!"

"SIM! E a Brianna também vai adorar!"

O Brandon cruzou os braços, apoiou na mesa e ficou me encarando.

"E então... o que você queria ME contar?", perguntou.

QUE MARAVILHA ☹!! Naquele momento eu me senti uma completa IDIOTA!

"Bom, é que eu... humm...", gaguejei.

QUE TIPO DE PESSOA desistiria de ajudar uma pobre senhora com um neto órfão, um marido doente e dezoito animais sem lar DEPOIS de ela ter acabado de enviar um lindo presente de agradecimento?

Só uma COBRA sem coração, isso sim!

"Bom, é meio que sobre a MacKenzie." Hesitei, olhando com nervosismo para o chão.

"Ela é uma patinadora excelente, e eu estava pensando que ela..."

"Olha, Nikki. Não se preocupe com a MacKenzie! Ela tem cercado a Betty, tentando fazer com que mude de ideia. Mas a Betty está com você, com a Chloe e a Zoey. Além disso, hoje na aula de biologia, ouvi a MacKenzie dizendo à Jessica que vai patinar para uma escola de moda ou algo assim."

Fiquei chocada ao saber que a MacKenzie finalmente tinha conseguido um patrocinador.

"Uma escola de moda? Você tá brincando?", perguntei. "Espera, não vá me dizer que..."

Coloquei as mãos no quadril e fiz minha melhor imitação da MacKenzie.

"Queridinho! Tipo, minha superfabulosa instituição de caridade é o Instituto Westchester de Moda e Cosmetologia, que, a propósito, é de propriedade da minha tia Clarissa!"

O Brandon parecia estar se divertindo. "É, acho que foi EXATAMENTE o que ela disse. É da tia dela... Clarissa?"

"Sim, aposto que a MacKenzie convenceu a tia a abrir uma nova instituição de caridade para deixar a cidade mais bonita. Ela fica nas esquinas entregando roupas de marca para pessoas sem noção de moda!", brinquei.

Aquela garota é tão INCRIVELMENTE fútil...

MACKENZIE, TORNANDO A NOSSA CIDADE MAIS BONITA!

Graças à sua tia Clarissa, a MacKenzie agora estava totalmente FORA de cena. O que significava que EU e meu traseiro muito dolorido estávamos DE VOLTA.

Eu precisava acionar meu Plano B de emergência. Só que eu não tinha nenhum.

O Brandon cruzou os braços.

"E aí, o que devo dizer à Betty?", ele perguntou de novo.

"Na verdade, Brandon, apenas diga a ela que eu ADOREI o DVD! E obrigada!"

"Eu é que agradeço!", o Brandon disse gentilmente quando nossos olhares se cruzaram.

AI, MEU DEUS! QUE BAITA SMR.

Minhas pernas ficaram bambas e fracas, e eu nem estava no gelo.

Brandon olhou para o relógio. "Ops! É melhor voltar pra aula. Vim aqui dizendo que ia... ao banheiro."

Ele abriu mais um sorrisinho torto e eu tentei não me derreter. Muito.

Quando o Brandon foi embora, caí sentada na cadeira.

Isso foi RUIM!

Muito, muito RUIM!

Mas, quando peguei meu novo DVD de *A dama e o vagabundo*, por algum motivo comecei a me sentir melhor.

Provavelmente porque minha cena preferida estava estampada na capa. Você sabe qual é.

O famoso BEIJO DE ESPAGUETE!!

Foi quando comecei a me perguntar se o Brandon gosta de espaguete.

E se, no nosso primeiro encontro, a gente fosse a um aconchegante restaurante italiano e dividisse um prato de espaguete? Nós ficaríamos mais...

ÊÊÊÊÊÊÊ ☺!!

Ei! Isso poderia acontecer de verdade!! Hummm... Quanto será que custam aulas com um professor particular de patinação...?

EU, COMO UMA GRACIOSA PRINCESA DO GELO, PRATICANDO COM O MEU PROFESSOR!

SEXTA-FEIRA, 20 DE DEZEMBRO

Hoje é o último dia de aula! Isso significa que estou oficialmente de férias! UHUU ☺!

O Natal é meu feriado favorito. POR QUÊ?!

Porque ganhamos muitos presentes E férias longas! É como fazer aniversário e ter miniférias de verão tudo ao mesmo tempo.

Não é DEMAIS?!

A única coisa ruim é que quando estamos no fim do ensino fundamental, a maioria dos pais realmente começa a relaxar com as suas obrigações de presentear os filhos.

Todo ano, eu ganho as mesmas besteiras: pijamas, meias, bombom de frutas e uma escova de dentes elétrica sem pilha (Dã!).

Estou tão INDIGNADA! Tenho tantas coisas bestas e baratas que na verdade poderia abrir uma LOJA DE 1,99 ou alguma coisa do tipo...

171

Mas ESTE ano vai ser diferente! E sim, provavelmente foi meio errado da minha parte deixar "acidentalmente" cópias da minha lista de desejos espalhadas pela casa toda para a minha mãe encontrar...

Tenho certeza de que a minha lista de desejos é bem mais interessante do que aquelas revistas empoeiradas *Reader's Digest* que meu pai deixa no banheiro.

De qualquer forma, quando a minha mãe disse que não tinha apenas UM, mas DOIS presentes de Natal adiantados para Brianna e eu abrirmos, fiquei agradavelmente chocada e surpresa.

Se eu soubesse que a minha brilhante estratégia de marketing bem-na-cara-dela funcionaria tão bem, eu teria começado a usá-la anos atrás.

O pacote maior era TÃO grande que pensei que provavelmente era meu notebook novo, meu celular novo, artigos para arte E dinheiro.

"Espero que seja um bolo de chocolate!", a Brianna gritou animada. "Vou ganhar um bolo de chocolate da princesa de pirlimpimpim no meu aniversário!"

Nós duas rasgamos a embalagem. E quase DESMAIEI quando vi o que tinha dentro...

"MÃE! MAS O QUÊ...?!! UM VESTIDO DA PRINCESA DE PIRLIMPIMPIM?!"

Parece que a minha mãe pagou nossa vizinha, a sra. Wallabanger, para fazer aqueles vestidos asquerosos cheios de babados IGUAIS ao da princesa de pirlimpimpim.

Então, minha mãe ficou toda emotiva e com os olhos cheios de lágrimas.

"Meninas, a melhor parte é que amanhã vocês usarão esses vestidos lindos em um evento MUITO especial!"

Eu fiquei, tipo, "Mãe, você ficou MA-LU-CA??!!"

Mas isso tudo eu disse dentro da minha cabeça, então só eu mesma escutei.

Eu esperava que o evento fosse num lixão, num estacionamento abandonado, num pasto ou numa central de tratamento de esgoto. Qualquer lugar onde houvesse um número limitado de formas de vida capazes de me verem com aquele vestido HORROROSO!

Minha mãe deu um sorrisinho e implorou para que abríssemos o segundo presente. A julgar pelo tamanho superpequeno, pensei que fosse uma caixinha de fósforos.

Assim, eu poderia QUEIMAR meu vestido novo na lareira. Mas não tive essa sorte toda ☹!

"SURPRESA! Para o tempo em família, vamos ver o balé *O Quebra-Nozes!*", minha mãe exclamou.

Fiquei TÃO frustrada que tive vontade de gritar!

"AAAAAHHHHH!"

POR QUE a minha mãe estava me dando um vestido FEIO e um ingresso para um balé CHATO, sendo que eu estava IMPLORANDO para ganhar um CELULAR, tipo, DESDE SEMPRE?!

Será que ela nem se deu AO TRABALHO de LER as vinte e sete cópias da minha lista de desejos que eu discretamente espalhei pela casa?!

Olha, se vou assistir a uma apresentação, é melhor que ela tenha um vocal muito louco, dançarinos malucos muito bons, efeitos especiais, fogos de artifício, solos de guitarra e pessoas se jogando do palco para a galera.

Não tô NEM UM POUCO animada para isso.

Se a minha mãe quer mesmo me TORTURAR, devia me fazer ficar em casa CUIDANDO da Brianna e ouvindo aquela PORCARIA de música disco do meu pai até meus OUVIDOS SANGRAGREM.

Só tô dizendo...

☹!!

SÁBADO, 21 DE DEZEMBRO

Só fiquei encarando minha imagem no espelho sem conseguir acreditar.

Como aquilo era possível?

Eu DETESTEI aquele vestido horroroso ainda mais do que detestava ontem.

Decidi que era hora de tomar uma atitude judicial. Eu ia processar meus pais.

Por submeterem suas filhas à CRUELDADE!

"Meninas! Está na hora!", minha mãe cantarolou toda feliz. "Mal posso esperar para ver como as duas ficaram lindas!"

Ajeitei o enorme laço, que era do tamanho de uma pequena gaivota, no cabelo.

Eu parecia uma daquelas horripilantes bonecas vitorianas de porcelana que encontramos em lojas de antiguidades.

EU, COMO UMA ASSUSTADORA BONECA DE PORCELANA VITORIANA

Para piorar as coisas ainda mais, os sapatos enfeitados estavam machucando meus pés. Eu queria tanto usar meus tênis gastos.

Seria suficientemente doloroso ter de passar duas horas sentada MORRENDO DE TÉDIO.

Melhor que meus pés ficassem confortáveis.

A Brianna, minha mãe e eu usamos vestidos vermelhos e laços combinando, enquanto meu pai usou terno preto com camisa vermelha e uma enorme gravata-borboleta cheia de bolinhas brancas e vermelhas.

Dei uma olhada para nós quatro no espelho da sala de estar e tive um minicolapso.

Parecíamos uma família de, ããã... PALHAÇOS DE CIRCO... todos vestidos para um... VELÓRIO de palhaços ou alguma coisa assim!

Tudo de que precisávamos agora era...

1. Algumas bolas de borracha para meu pai,

2. Uma daquelas flores de plástico que espirram água para minha mãe,

3. Um enorme chifre de plástico para a Brianna E

4. Um pequeno carro de palhaço para mim, assim eu poderia fugir da minha família maluca.

PURA PALHAÇADA!

Por algum motivo, o vestido da Brianna ficou meio estranho.

Provavelmente porque estava ao contrário. DÃ!

"Brianna", a minha mãe resmungou. "Sabia que não devia ter deixado você se trocar sozinha. Venha aqui." Ela se ajoelhou na frente da minha irmã e ajeitou a roupa.

"Não! Eu sei me vestir sozinha!", a Brianna protestou. "Sou uma menina grande! Meu aniversário tá chegando e eu vou ganhar um bolo de chocolate da princesa de pirlimpimpim."

Minha mãe simplesmente a ignorou. "Assim", ela disse. "Agora, você está linda como a fada de pirlimpimpim. Ela vai participar do balé hoje à noite."

"Ei!", os olhos da Brianna brilharam. "Ela é a IRMÃ da princesa de pirlimpimpim?"

Meus pais piscaram um para o outro.

"É muito possível", a minha mãe disse. "Vamos ver a fada e suas amigas bailarinas dançarem com roupas lindas. Vai ser muito divertido. Vocês vão ver."

"Nikki, me conta a história da irmã da princesa de pirlimlimpim? Por favor!", a Brianna implorou.

Eu revirei os olhos. Era uma história complicada. E a capacidade de atenção da Brianna é como a de um salgadinho de milho.

"Bom, a amiga dela, a Clara, ganha um brinquedo com defeito, que o irmão dela quebra. O brinquedo ganha vida, e então a casa deles fica infestada de ratos dançantes, e eles visitam uma terra cheia de doces e sobremesas. Aí, o mundo deles é dominado pelo malvado Rei Rato", resmunguei.

"DOCES e SOBREMESAS?", a Brianna gritou, basicamente ignorando tudo o que eu havia dito de ruim e esquisito e sobre os roedores dançantes. "Você acha que tem bolo de chocolate lá?"

"Tem todo tipo de sobremesa que você possa imaginar", minha mãe acrescentou, suspirando. "As flores, as árvores e os castelos são todos feitos de doces. Não é maravilhoso?"

Nós nos amontoamos no carro e, uns trinta minutos depois, chegamos a um enorme e lindo teatro. Todos ali usavam ternos e vestido chiques.

Minha mãe conseguiu assentos bem próximos ao palco para que a gente pudesse ter uma boa visão. Mas adivinha quem teve de se sentar ao lado da Brianna?

EU!!

Acho que minha mãe e meu pai fizeram isso de propósito, porque enquanto a orquestra se aquecia, eles se levantaram para conversar com alguns amigos.

Quero dizer, QUEM eles pensam que eu sou? A Mary Poppins?! A Nanny McPhee?!

Enquanto a Brianna e eu estávamos sentadas, ela de repente começou a balançar os pés e a chutar a cadeira da frente, cantarolando uma música superchata que ela inventou:

"Docinhos, biscoitos e balas
Mas preste atenção, sr. Rato,
Porque se encostar no meu bolo de chocolate,
Vou cortar o seu barato!"

Um homem mais velho que usava smoking se virou para trás e olhou para nós DUAS com aquela cara.

O que não fazia o menor sentido, porque não era eu quem estava cantando e chutando o assento dele!

"Brianna", eu disse, "para de chutar o assento desse homem e, por favor, fica quieta!"

"Oi, sr. Careca! Como o senhor fez para deixar sua cabeça brilhando assim? Sabe de uma coisa? Estou usando um vestido novo. No dia do meu aniversário, vou ganhar um bolo de..."

BRIANNA, CONVERSANDO COM O SR. CARECA E CHUTANDO O ASSENTO DELE

"Brianna! Fecha a matraca!", eu a repreendi.

Finalmente, meus pais voltaram e a iluminação do teatro ficou mais fraca.

Mas a Brianna já estava completamente entediada.

Quando a orquestra começou a tocar, ela deve ter achado que aquela era a música perfeita para sua canção, porque ela começou a cantar a plenos pulmões:

"Docinhos, biscoitos e balas
Mas preste atenção, sr. Rato..."

"Shhh!" Pelo menos uma dúzia de pessoas descontentes a mandaram fazer silêncio.

Eu me afundei no assento e fingi que estava com outra família.

Foi quando a minha mãe lançou para NÓS DUAS um olhar mortal.

O que não fez o menor sentido.

Não era eu quem estava cantando sobre um RATO num tom muito alto e desafinado.

Ao longo de todo o primeiro ato, a Brianna se remexeu e chutou o assento na frente dela.

Mas pelo menos ficou quieta.

Ainda bem.

Até que o malvado Rei Rato e seus servos apareceram.

Foi quando a Brianna ficou de pé na cadeira, apontou para o palco e gritou:

"Santo Bolinho! Esses ratos dançarinos são ENORMES! E advinha só?! Minha irmã tinha uma fantasia de Halloween como essa! Não é verdade, Nikki? Mas a sua era muito fedida...!"

BRIANNA, GRITANDO COM OS RATOS

Todos se viraram e fizeram cara feia.

AI, MEU DEUS! Fiquei TÃO envergonhada.

Eu quis MORRER!

Não gostei nada de ver Brianna falando minhas coisas pessoais daquele jeito.

Ei, eu não conhecia aquelas pessoas.

Elas eram, tipo, completas... DESCONHECIDAS!

De qualquer forma, acho que a Brianna deve ter estragado a concentração do Rei Rato ou algo assim, porque ele acabou esquecendo alguns passos da coreografia.

"Então, onde está a irmã da princesa de pirlimpimpim?", a Brianna gritou em seguida.

"Brianna! Shhh!" Minha mãe a repreendeu com um sussurro.

"Nikki, por favor, procure manter sua irmã quieta, tudo bem?", meu pai implorou baixinho.

"Eu estou. Ela simplesmente NÃO está me escutando!", eu bufei meio alto.

Oops. Eu me esqueci de usar a minha voz "interior".

"SHHHHH!!". Pelo menos uma dúzia de pessoas me mandou ficar de bico calado.

Por fim, as cortinas desceram e as luzes se acenderam para o intervalo.

AI, MEU DEUS! Parecia que a plateia toda estava olhando para a gente com cara feia.

"É por isso que não se deve trazer crianças ao teatro", o homem careca de smoking disse para a esposa, pronunciando mais algumas palavras nada simpáticas.

A Brianna deu mais um tapinha no ombro dele.

"Ei, sr. Careca! O senhor viu aqueles ratões no palco? Cara, eles eram assustadores!"

Aquilo foi a gota-d'água para o cara de smoking.

Ele ficou vermelho feito pimentão, caminhou batendo os pés até um lanterninha e exigiu que ele e a esposa fossem acomodados em outros assentos.

Eu tive vontade de agarrar a barra do seu smoking, cair de joelhos e implorar desesperadamente: "Por favor, senhor, me leva junto. Por favor!"

Eu precisava de um tempo longe da Brianna para não perder o controle.

"Volto logo!", eu disse a meus pais. "Vou procurar água. Ou uma carona pra casa, se tiver sorte."

"Espera, Nikki! Eu quero irrrr!", a Brianna resmungou.

"Eu já volto, Brianna."

"Mas eu preciso ir ao banheiro!"

"Nikki, você pode levar sua irmã ao banheiro? Por favor?", minha mãe perguntou.

DROGA!

Eu queria discutir com a minha mãe. Mas, se acontecesse alguma coisa com a Brianna enquanto discutíamos o problema, eu sabia que ela ia me culpar.

E eu tinha total certeza de que NÃO vendiam Pampers do tamanho da Brianna no teatro.

"Vamos logo, Brianna!", eu reclamei.

"Obrigada, querida!", minha mãe sorriu. "Agradeço a gentileza."

Quando chegamos ao banheiro, fiz o possível para ser paciente com a Brianna.

"Vai logo, tá? A apresentação vai começar e precisamos voltar para o nosso lugar antes de apagarem as luzes."

"Não me apressa!", a Brianna disse e mostrou a língua para mim.

Ao entrar no banheiro, os olhos dela se iluminaram...

"Que legal! Agora, eu posso fingir que meu braço está quebrado e que o papel é o meu gesso", ela soltou gritinhos de felicidade.

"Que maravilha!", suspirei.

Aquilo não ia acabar NUNCA!

Esperei por três longos minutos.

"Brianna, já terminou?"

"Quase. Agora estou enfaixando a minha cabeça quebrada."

"Sua O QUÊ? Brianna, VAMOS! AGORA!"

"Mas eu AINDA tenho que usar o BANHEIRO!"

"Tudo bem! Vou esperar você naquele banco na frente do banheiro. Quando terminar, lave as mãos e saia, tá?"

"Tá! Hum, Nikki, você tem um pouco de... cola?"

Fiz um registro mental: se, durante toda minha vida, minha mãe me pedir para levar a Brianna no banheiro de novo, devo fugir GRITANDO!

Eu estava sentada no banco tinha mais de um minuto quando notei uma longa fila de pessoas esperando para comprar aqueles cupcakes enormes que estavam em uma bela vitrine do outro lado do salão.

Acho que os delírios obsessivos da Brianna sobre bolo de chocolate devem ter afetado meu subconsciente ou alguma coisa assim.

Porque eu praticamente ouvi os cupcakes com dupla camada de chocolate me chamando.

Logo a fila tinha diminuído para apenas duas pessoas e a Brianna ainda não tinha aparecido.

Foi quando decidi me aventurar numa louca corrida para comprar um cupcake.

Não tenho culpa se me deu uma fome danada por levar a Brianna ao banheiro.

Custavam bem caro, sete dólares cada.

Mas eram os maiores, os mais molhadinhos, os mais deliciosos e os mais recheados cupcakes de chocolate que eu já tinha visto na vida.

O vendedor o colocou dentro de uma linda caixinha branca, e eu cuidadosamente a coloquei dentro da bolsa.

Claro que, sendo a irmã mais velha e responsável que sou, não tirei os olhos da porta daquele banheiro por mais de alguns segundos (ou minutos).

Comecei a ficar um pouco preocupada porque estavam acendendo as lanternas, o que significava que o intervalo já ia acabar.

E eu AINDA estava esperando a Brianna sair do banheiro.

Então, dá pra imaginar minha surpresa quando virei e vi o vestido vermelho cheio de babados da princesa de pirlimpimpim no bebedouro do outro lado do saguão.

Corri direto pra lá.

"Até que enfim, Brianna! Você ficou uma ETERNIDADE no banheiro! Precisamos voltar para o nosso lugar agora. Vamos!"

Eu agarrei a mão dela e a puxei pelo saguão.

Foi quando ela olhou para mim com a cara mais ATERRORIZADA do mundo.

Meu cérebro AINDA estava tentando entender como a Brianna tinha conseguido cabelos ruivos encaracolados, sardas e óculos.

Mas a minha boca soltou a resposta e de repente gritou...

"Ei! Você NÃO é a Brianna!"

"Mamãe!", a menininha chorou. "Uma estranha tá me sequestrando!"

Assustada, eu larguei a mão dela e me afastei.

"Foi mal!", me desculpei. "Pensei que fosse outra pessoa! Desculpa!"

Então, voltei correndo para o banheiro para tentar encontrar minha irmãzinha.

"Brianna? Você tá aí dentro? Brianna!", eu gritei enquanto conferia cada cabine. Mas ela não estava em lugar nenhum.

Meu coração acelerou e minhas mãos ficaram muito suadas. Eu corri desesperada para o saguão e olhei ao redor. Nada da Brianna.

Foi quando entrei em pânico. AI, MEU DEUS! E se ela ficar perdida PARA SEMPRE?! Esse pensamento assustador tomou conta mim.

Eu não podia imaginar a vida sem a minha irmãzinha, ainda que ela fosse um furacão de rabo de cavalo, categoria cinco.

Fiquei tão desesperada que cheguei a sentir falta da Bicuda.

Prometi que se encontrasse a Brianna, compraria uma caneta roxa nova e faria, eu mesma, uma maquiagem glamourosa na Bicuda.

MAQUIAGEM DA BICUDA

Mas agora eu precisava voltar para o teatro e contar aos meus pais que tinha perdido a Brianna. Eu estava ~~torcendo~~ REZANDO para que a Brianna tivesse simplesmente voltado para o auditório.

Que ao menos ela estivesse sentada, sã e salva, torturando as pessoas próximas chutando o assento, cantando aquela musiquinha irritante e conversando com o sr. Careca.

O balé já havia recomeçado quando cheguei à minha fileira. Isso significa que tive de passar por cima de uma dúzia de pessoas muito irritadas.

"Dá licença. Preciso passar. Pisei no seu pé? Desculpa! Sinto muito. Oops!"

Quando cheguei no meu assento, meus olhos estavam finalmente começando a se acostumar à escuridão. Eu estava totalmente esperando ver a Brianna a qualquer momento.

"Por que demoraram tanto?, minha mãe sussurrou bem alto. "Estávamos começando a ficar preocupados! Humm, Nikki, querida... CADÊ A BRIANNA??!!"

Abri a boca, mas a princípio não consegui dizer nada.

"Ela não está aqui? Pensei que ela pudesse ter voltado!"

A expressão da minha mãe passou de curiosidade para preocupação.

"O QUÊ?!", ela disse ainda mais alto.

Obviamente, todo mundo fez cara feia para ela.

"Eu... eu estava esperando por ela no banheiro e ela simplesmente... DESAPARECEU!"

"Você olhou dentro de todas as cabines?"

"SIM! Três vezes."

"Ãã, querida...", meu pai cutucou o braço da minha mãe com nervosismo. Os olhos dele estavam fixos no palco.

"E no saguão e na bilheteria?", minha mãe continuou. "Talvez ela tenha visto algum doce."

"Mãe, eu olhei EM TODOS OS LUGARES!"

"Bem, não vamos entrar em pânico. Talvez ela esteja brincando nos elevadores. Vamos voltar ao saguão e..."

"QUERIDA, você REALMENTE precisa dar uma olhada naquilo!", meu pai interrompeu de novo.

"O que pode ser mais importante neste momento do que tentar encontrar..."

Foi quando minha mãe e eu olhamos para o palco. "BRIANNA!!", nós duas gritamos.

Clara e o príncipe Quebra-Nozes estavam fazendo a entrada triunfal à Terra dos Doces em um barco extravagante.

Com um pequeno passageiro clandestino no banco de trás, todo enrolado no que parecia ser um rolo inteiro de papel higiênico.

"Brianna!", minha mãe chamou.

Mas ou a Brianna não escutou, ou simplesmente ignorou.

Ela parecia praticamente hipnotizada pelas árvores de bengala doce, arbustos com chicletes e pelo enorme castelo de cupcakes no palco.

Mas o mais assustador era que ela tinha um sorriso perverso que ia de orelha a orelha.

A plateia confusa imediatamente notou a presença da Brianna no palco com a fantasia de papel higiênico dela.

A maioria coçou a cabeça, e alguns sussurravam entre si.

Ninguém parecia se lembrar da existência de uma múmia tampinha no *Quebra-Nozes*.

Clara e o príncipe Quebra-Nozes, ainda sorrindo sem parar, olharam para a plateia meio perplexos.

Mas, quando finalmente se viraram e viram a Brianna sorrindo e acenando para a plateia, FICARAM MALUCOS...

Clara sussurrou algo para o príncipe de um jeito bem desesperado.

Então, ele se inclinou, pegou a Brianna no colo e tentou tirá-la do palco. Mas a Brianna foi teimosa e ficou se segurando no barco. Por fim, ele desistiu e simplesmente a deixou ali.

Quando os dançarinos entraram no palco, também não perceberam a presença de Brianna logo de cara.

Alguns estavam vestidos de biscoitos e outros de balas. E aí, entraram os chefs dançarinos segurando bandejas com tortas, cupcakes e doces sortidos.

"Era disso que eu tava falando!", a Brianna gritou e pulou do barco.

Ela avançou em direção aos dançarinos feito um touro doido.

Minha mãe, meu pai e eu corremos em direção ao palco o mais depressa que conseguimos.

Aquele momento pareceu surreal, como se, tipo, estivéssemos nos movendo em câmera lenta.

"BRIANNA!", minha mãe gritou. "NÃÃÃOOO!"

Mas não teve como chegarmos antes de ela começar a devorar tudo loucamente.

Primeiro, ela agarrou um dançarino pelo tornozelo e deu uma mordida na bota de chocolate dele.

Ela fez careta. "CREDO! Isso NÃO é chocolate!"

O dançarino chacoalhou a perna até ela soltar.

Depois, ela correu na direção de uma bailarina e agarrou seu tutu.

A bailarina parou de dançar e puxou a saia de volta.

Mas um pedaço rasgou na mão de Brianna e ela o enfiou na boca. "Eca!", ela cuspiu e franziu a testa. "Isso NÃO é algodão-doce!"

Quase todos os personagens pararam de dançar e deixaram o palco para não serem comidos vivos. Em pouco tempo, o único dançarino que restou foi o tolo *chef*, que carregava um enorme bolo de chocolate. Ele estava totalmente concentrado em executar uma série de *pliés*

"Corra, corra!", a plateia enlouquecida começou a gritar.

Eu não consegui acreditar naquilo!

Eu esperava que as pessoas deixassem o teatro, vaiassem, ou ao menos atirassem uns tomates podres.

Mas elas ficaram com o traseiro grudado no assento e com os olhos vidrados no palco como se estivessem assistindo aos últimos dez segundos de uma decisão superemocionante de futebol e o jogo estivesse empatado.

A Brianna avistou o bolo enorme e só ficou olhando para ele, encantada.

Quando o *chef* finalmente notou a Brianna, parou de repente de dançar e parecia prestes a molhar as calças!

A Brianna correu pelo palco e se lançou sobre o *chef* como um jogador de futebol americano fazendo uma defesa.

O *chef* gritou, jogou o bolo de chocolate pra cima e se atirou no fosso da orquestra.

Ouvimos um estrondo e uma nota alta e desafinada da tuba.

Ficou meio óbvio sobre qual músico o *chef* dançarino havia aterrissado.

A Brianna agarrou o bolo como uma vencedora e deu uma enorme mordida nele bem quando conseguimos nos aproximar do palco.

"Brianna, desça já daí!", minha mãe mandou.

A Brianna levantou a cabeça.

Seu rosto estava todo sujo de calda de chocolate e sua boca estava tão cheia que ela ficou parecendo um baiacu.

Depois de mastigar por alguns segundos, ela franziu a testa.

Confusa e desapontada, a Brianna apontou para o bolo falso. "Isso não é bolo de chocolate!", ela disse.

Eu nem consegui entender direito o que ela estava dizendo, mas vi um isopor branco onde ela havia dado a mordida no bolo.

"Não tem comida de verdade aqui. É só cenário", eu esbravejei. "Não acredito que você fez isso!"

"É uma piada? Não tem graça!", ela fez bico.

"Brianna Lynn Maxwell!", minha mãe gritou e lançou para ela seu Olhar Mortal. "Não me faça subir aí...!"

Ai, não! Minha mãe estava falando sério.

"Fim, fenhora", a Brianna finalmente murmurou.

Ela cuspiu o bolo falso e pulou do palco para os braços da minha mãe.

Então, a coisa mais chocante aconteceu.

Os dançarinos, a orquestra E a plateia aplaudiram minha mãe de pé por ter conseguido, sozinha, pôr fim à catástrofe do *Quebra-Nozes!*

E tem mais!

Depois de a Brianna ter destruído completamente o balé, ela ainda teve a pachorra de acenar e mandar beijos para todos, como se estivesse naqueles programas de meninas modelos ou algo assim.

Eu me senti muito melhor quando anunciaram que haveria um intervalo de dez minutos para que os dançarinos pudessem se preparar para começar de novo o segundo ato.

E então as luzes do teatro se acenderam.

Quando saímos de lá, a plateia ainda estava rindo e aplaudindo a Brianna, incluindo o sr. Careca.

Foi difícil de acreditar que aqueles almofadinhas gostaram do *Quebra-Nozes* com um toque de comédia.

Nós nos amontoamos no carro e voltamos em silêncio para casa.

Principalmente porque ninguém teve ânimo de repreender a Brianna.

Se ela fosse MINHA filha, eu a teria deixado no hospital psiquiátrico mais próximo para uma avaliação.

Ou, melhor ainda, no zoológico da cidade.

Mas ela NÃO É minha filha. Graças a Deus!

Apesar de eu querer ficar brava com ela, bem no fundo eu estava feliz e aliviada por ela estar bem.

Foi bom chegar em casa de novo. Mas meus pobres pais estavam tão exaustos, que foram direto para a cama.

Sendo a filha mais velha e responsável que sou, garanti a eles que cuidaria para que a Brianna vestisse o pijama e fosse dormir em segurança.

Fiquei surpresa quando ela não reclamou nem resmungou como costuma fazer na hora de dormir. Simplesmente abaixou a cabeça, subiu as escadas e vestiu o pijama do Bob Esponja.

Senti um pouco de pena dela. De certo modo, tudo aquilo tinha sido mais culpa nossa. Nós exageramos demais na parte dos doces do *Quebra-Nozes*.

A Brianna é só uma criancinha. Como poderia saber que o cenário todo e o bolo de chocolate eram falsos?

Foi quando de repente me lembrei do MEU cupcake e a minha boca encheu de água de novo.

Desci a escada para pegar um copo grande de leite gelado.

Mal podia esperar para voltar para o quarto e morder aquele cupcake delicioso cheio de chocolate enquanto escrevia em meu diário.

Quando passei pelo quarto da Brianna, percebi que ela ainda estava bastante chateada. Mesmo com a porta fechada, pude ouvir ela fungando e resmungando baixinho.

Mas parei assim que ouvi ela cantar a música mais triste DO MUNDO:

"Nada de docinhos, cookies e balas
O castelo de cupcake era oco
O bolo de chocolate era falso
Como sou pentelha, às vezes, tá LOUCO!"

Coloquei cuidadosamente o cupcake e o copo de leite no chão em frente à porta dela...

Então, bati à porta.

Quando a Brianna abriu, eu já tinha corrido para o meu quarto e me jogado na cama.

Eu ouvi a Brianna gritar de alegria!

"BOLO DE CHOCOLATE?! Obrigada, princesa de pirlimpimpim! Você tornou o meu desejo REALIDADE!"

"De nada!", eu disse a mim mesma e sorri.

Quem teria imaginado que essa noite acabaria tão bem?

A Brianna NÃO foi parar no registro de crianças desaparecidas.

A plateia pareceu ter gostado da participação dela naquele balé-comédia-reality-show.

E meus pais estavam exaustos demais para me deixarem de castigo pelo resto da vida por ter perdido a Brianna.

Mas o mais importante é que descobri que dar uma coisa que você quer para alguém a quem você ama pode trazer mais felicidade do que ficar com a coisa pra você.

Acho que esse é o espírito de Natal.

Que nojo! Acho que estou parecendo um daqueles cartões bobos de Natal da minha mãe.

Hummm, talvez a minha família não seja tão RUIM, no fim das contas.

NÃO!! ☺!!

EU, DANDO UM ABRAÇO DE URSO NA MINHA FAMÍLIA MALUCA!

DOMINGO, 22 DE DEZEMBRO

Quando chegamos em casa de manhã, depois de irmos à igreja, estava nevando muito. E, ao meio-dia, já tinha uma camada de dez centímetros de neve no chão.

Até onde eu sabia, era o clima perfeito para deitar diante da lareira e bebericar chocolate quente com marshmallows.

Mas NÃÃÃOOO! Meus pais me FORÇARAM a sair praticamente no meio de uma nevasca pelo motivo MAIS IDIOTA.

Eles queriam fazer um boneco de neve para a Brianna!

A minha mãe ficou toda animada e disse que seria um projeto excelente para o tempo em família. Mas eu já sabia que ia ser um enorme DESASTRE.

Foi meu pai quem teve a brilhante ideia de fazer um boneco de neve de tamanho real. Ele começou bem, porque sua bola de neve só ia aumentando e aumentando.

Então, infelizmente, ele perdeu o controle da bola em uma ladeira...

Bom, tivemos o lado bom e o lado ruim.

O lado BOM é que no fim das contas a Brianna conseguiu um boneco de neve de tamanho real, como o papai tinha prometido a ela.

Mas o lado RUIM foi que meu próprio PAI era o boneco de neve de tamanho real.

Depois de descer correndo aquela ladeira gigante, ele mergulhou de cabeça em um enorme monte de neve. Então, a bola de neve que ele tinha feito caiu bem em cima dele. *POFT!!*

AI, MEU DEUS!! Demoramos dez minutos só para desenterrar meu pai.

E, quando conseguimos salvá-lo, ele estava com uma queimadura NOVA em cima da queimadura VELHA que tinha sofrido com o fiasco do aspirador de neve.

Senti TANTA pena dele. Principalmente porque foi atropelado por aquela bola de neve enquanto ele tentava fazer algo legal para a Brianna.

Só espero que meu pai não fique traumatizado nem sofra de nenhuma síndrome estranha, tipo, bonecodenevefobia.

A essa altura, não acho que vamos mais construir bonecos de neve nos próximos anos. Ainda bem!

Isso me permite ter ainda MAIS tempo livre para me aconchegar na frente da lareira, tomar chocolate quente com marshmallows e escrever no meu diário.

Quase esqueci! Eu AINDA preciso comprar mais alguns presentes.

Decidi que vou dar um presente de Natal para o Brandon também. Ele é TÃO gentil!

Só preciso pensar em alguma coisa que ele goste muito.

Hummm. Talvez um vale-presente para um jantar romântico para DUAS pessoas no restaurante italiano Giovanni's!

^^^^^^^^^^^^
EEEEEEEEEEEE!!

☺!!

227

SEGUNDA-FEIRA, 23 DE DEZEMBRO

Todos os anos eu espero até o último minuto para fazer minhas compras de Natal. Saio escondida de casa com a Brianna e andamos de bicicleta na neve até a loja de conveniência mais próxima...

Como ainda não tenho minha carteira de motorista, somos basicamente forçadas a fazer as compras no local mais próximo ao qual conseguimos chegar sem pegar PNEUMONIA.

É por isso que minha mãe e meu pai sempre ganham presentes ruins, como um pacote de escovas de dentes para toda a família, presente meu, e balas de vitaminas, presente da Brianna.

"MENINAS!! NÃO PRECISAVA!!"

Mas este ano eu queria comprar algo bem especial que eles gostassem DE VERDADE.

Quer dizer, além das escovas de dentes e das vitaminas.

Fiquei TÃO feliz quando vi um enorme cesto de scrapbooks em promoção!

Era uma promoção COMPRE UM, LEVE QUATRO! Tive muita sorte de tropeçar numa promoção tão boa.

Ou talvez a loja estivesse apenas tentando empurrar esses livros aos clientes desavisados para que houvesse menos lixo para descartar depois das festas.

De qualquer forma, ver aqueles *scrapbooks* fez meus rios de criatividade fluírem.

Decidi comprar um para presentear meus pais. Eu planejava usar minhas habilidades avançadas em artes e ofícios para criar uma capa nova bem bonita. Seria PERFEITO para as nossas fotos de família.

E como eu ganharia outros quatro *scrapbooks* DE GRAÇA, decidi dar um para a Chloe, outro para a Zoey, um para a Brianna e o último para o Brandon.

Vai dizer que não sou BRILHANTE ☺?!

Para a Chloe e para a Zoey, eu faria um álbum especial sobre a nossa amizade.

E eu sabia que a Brianna amaria qualquer coisa que tivesse a princesa de pirlimpimpim na capa.

Mas então comecei a pensar no Brandon. E se ele acabasse se mudando? Eu queria dar a ele algo que o fizesse se lembrar da nossa amizade e de todos os momentos divertidos que passamos juntos.

Como o concurso de artes, a festa de Halloween e o show de talentos. E até aquela vez em que cheguei a pensar que tinha perdido meu diário no colégio!

De repente, comecei a me sentir muito triste, bem ali na seção de remédios para resfriado, gripe e alergia.

Eu queria muito ajudar o Brandon patinando no *Holiday on Ice*.

Mas também estava morrendo de medo de não conseguir.

Se ao menos eu conseguisse encontrar alguém para patinar no meu lugar!

Suspirei e tentei engolir o enorme nó preso na minha garganta.

Às vezes, eu tinha a impressão de estar carregando o mundo nas costas.

Quando eu estava prestes a passar no caixa, vi um rosto familiar na parte de gloss labial da seção de cosméticos.

Era a MACKENZIE!!

Meu coração parou de bater! Talvez houvesse uma esperança para o Brandon, no fim das contas. Se eu deixasse meu ego de lado e simplesmente ~~pedisse~~ IMPLORASSE para ela me ajudar, talvez ela aceitasse patinar no meu lugar.

"AI, MEU DEUS! Oi, MacKenzie! Eu não sabia que você fazia compras aqui", eu disse amigavelmente.

Ela olhou para mim e franziu a testa. "Nikki, o que VOCÊ está fazendo aqui? Por que não está com as suas amiguinhas nada populares no McTacoHut ou em qualquer outro lugar?", ela perguntou.

Eu estava com medo de que a conversa seguisse esse rumo. Mas foi culpa minha. Eu devia ter massageado o enorme ego dela e começado a conversa com elogios.

"Eu amei seu gloss labial. A cor destaca seus olhos", eu disse.

"Bom, você deveria experimentar aquela nova cor pêssego. Vai combinar com o seu bigode."

NÃO dava para acreditar que ela estava falando aquilo na minha cara.

"Olha, já vi PORCOS usando gloss labial e eles ficavam mais bonitos que você!", eu resmunguei baixinho.

"O QUE foi que você disse?!", ela me repreendeu.

A gente se encarou. Foi MUITO ESQUISITO!

Eu precisava da ajuda dela, então eu menti. "Eu disse: 'Olha! Já vi que o pink fica bem mais bonito em VOCÊ'."

"Hum, por que você está falando comigo, Nikki?"

"Bom, é sobre o *Holiday on Ice*. Eu sei que você queria patinar para a Amigos Peludos. E agora estou pensando melhor na questão."

"Você está pensando? Estou impressionada."

Eu simplesmente ignorei o comentário dela.

"MacKenzie, quero pedir um grande favor."

"O quê? Uma doação para o seu fundo de cirurgia plástica para remoção de bigode?"

Ignorei ESSE comentário também.

"Você assumiria meu lugar para patinar com a Zoey e a Chloe no *Holiday on Ice*? Precisamos muito desse dinheiro para manter a Amigos Peludos aberta."

"Fico surpresa por você não ter pedido antes."

"Estou querendo pedir esse favor desde a semana passada. Você é uma das melhores patinadoras da apresentação. Se eu estragar as coisas, o Brandon vai ficar arrasado. E vai ser culpa minha."

A MacKenzie pareceu se divertir e sorriu. "SIM! Você está totalmente certa!", ela disse.

"AI, MEU DEUS! Isso é um SIM, você vai patinar no meu lugar?", perguntei animada.

NÃO pude acreditar que a MacKenzie havia dito sim! Era um MILAGRE!

"NÃO! Eu quis dizer SIM, o Brandon vai ficar ARRASADO e vai ser culpa SUA. Desculpa, Nikki! Mas se você estivesse pegando FOGO, eu nem CUSPIRIA em você para tentar apagar!"

"Mas e o Brandon? Faça ao menos por ele. Se alguma coisa acontecer com a Amigos Peludos, ele vai ficar muito triste!"

"Eu sei!", ela disse, toda convencida. "Na verdade, estou contando com isso. QUEM vai consolar o Brandon quando ele precisar de um ombro para chorar quando esse abrigo IDIOTA fechar as portas? EU! Claro! E a melhor parte é que ele vai ODIAR você por essa decepção. E é assim que eu quero que as coisas sejam!"

Então, a MacKenzie gargalhou como uma bruxa.

Eu simplesmente fiquei ali, CHOCADA!

Não dava para acreditar que uma pessoa podia ser tão MALVADA.

Está na cara que a MacKenzie está aprontando comigo! DE NOVO! Estou TÃO cansada dos seus joguinhos sujos!

Mas eu NÃO vou ficar BRAVA!

Vou me VINGAR!

Acreditando em mim mesma e tirando o TRASEIRO da cadeira para patinar!

E vou ser FORTE! E BRUTAL! E, é claro, vou usar roupas LINDAS!

Serei mais fatal do que aquele cara do Exterminador.

Serei...

De qualquer forma, todos os scrapbooks que fiz ficaram bem fofos.

E as páginas que a Brianna decorou para os nossos pais eram... humm... meio... interessantes.

Pretendo embrulhar todos os scrapbooks e entregá-los à Chloe e à Zoey na noite de Natal.

Decidi deixar o do Brandon na caixa de correspondências da Amigos Peludos, já que ele passa tanto tempo ali.

Acho que ele vai ficar supersurpreso por eu ter feito um presente especial para ele.

Agora ele vai ter um lugar especial para colocar todas as suas fotos.

Só espero que ele goste.

!

TERÇA-FEIRA, 24 DE DEZEMBRO

Hoje é noite de Natal!

Um dos passatempos artesanais preferidos da minha mãe no inverno é tricotar blusas de lã iguais para toda a nossa família.

Este ano, ela escolheu justamente uma blusa medonha de boneco de neve com um cordão de enfeites de plástico na gola.

A blusa é azul, tem uma manga vermelha, outra verde e um enorme boneco de neve em 3D na frente.

Nossos nomes foram bordados com letras amarelas enormes nas costas.

Pensei em mandar a minha para o *Guinness*, na categoria Blusa de Lã Mais Feia da História da Humanidade.

Eu não estava preocupada em estabelecer um recorde. Só queria me livrar daquela porcaria antes que alguém me obrigasse a usá-la. Mas já era tarde demais...

Meu pai preparou a câmera e a gente se reuniu na frente da árvore de Natal.

Então, ele acionou o timer e foi rapidinho para o seu lugar, ao lado da minha mãe.

"Certo! Todo mundo dizendo 'Xis!'", ele disse.

Mas, antes de o flash terminar, a Brianna deve ter decidido que queria um petisquinho ou alguma coisa assim.

Porque de repente ela se virou e agarrou uma bengala doce de um dos galhos da árvore.

AI, MEU DEUS! Não pude acreditar quando vi a árvore caindo.

Foi um momento totalmente família Maxwell.

Ri tanto que fiquei com dor nas costelas.

Tenho que admitir, essa foto da família agora se tornou a minha preferida.

Infelizmente, minha mãe achou que ficamos TÃO FOFOS com a nossa blusa de boneco de neve, que quer que todos a vistam amanhã, no almoço na casa da tia Mabel.

E eu, tipo, QUE MARAVILHA ☹!! Minha tia Mabel NÃO é exatamente minha tia preferida.

Seria como almoçar com a TIA AVARENTA!

Essa mulher AINDA insiste para que eu me sente na MESA DOS PIRRALHOS!

Qualquer espírito natalino que eu pudesse ter agora se perdeu.

Só de pensar na mesa dos pirralhos fiquei tão nervosa que achei que teria um ataque.

Para sobreviver àquela experiência, eu ia precisar de um milagre de Natal!

☹!!

QUARTA-FEIRA, 25 DE DEZEMBRO

Hoje é Natal!

A Brianna nos acordou batendo na porta dos quartos e gritando descontroladamente. Como ela faz todos os anos.

E é sempre EXATAMENTE a mesma história...

"Acorda, pessoal! Acorda! Eu e a Bicuda acabamos de ver o Papai Noel e sua rena partindo. Eles voaram direto do nosso telhado para a casa da sra. Wallabanger. Acorda! É uma emergência!"

Então, todos nós descemos correndo, de pijama, para ver o que o Papai Noel deixou e abrir juntos nossos presentes.

Como sempre, a Brianna ganhou uma tonelada de coisas...

Meus pais ADORARAM o scrapbook que a Brianna e eu fizemos (que incluía a foto hilária da nossa árvore de Natal caindo)...

MÃE E PAI, AMANDO O SCRAPBOOK

Mas o MELHOR presente de todos foi...

MEU CELULAR NOVINHO EM FOLHA!!

Pouco tempo depois, estava na hora de irmos para a casa da tia Mabel para o almoço de Natal. Meu pai diz que sua irmã mais velha só é antiga e meio rigorosa. Mas eu acho que "rigorosa" é uma palavra mais simpática para "MALVADA".

Minha mãe diz que a tia Mabel age assim porque acha que as crianças devem ser vistas, não ouvidas.

Particularmente, acho que a tia Mabel simplesmente ODEIA crianças porque ela tem nove filhos.

AI, MEU DEUS!! Se eu desse à luz NOVE vezes, eu não ia querer VER nem OUVIR meus filhos! Só tô dizendo.

Mas, olha só. Tenho catorze anos. E aquela mulher MALVADA AINDA me faz sentar na MESA DOS PIRRALHOS!

Os adultos se sentaram à mesa de jantar, numa antiga mesa entalhada à mão, com cadeiras ao estilo Rainha Anne, porcelana chique, copos de cristal e talheres dourados.

A mesa das crianças era uma mesa pequena e bamba coberta com um lençol gasto.

Nós tínhamos pratos de papelão, talheres de plástico e copinhos de papel bem pequenos (sabe, daqueles de usar no banheiro quando você vai escovar os dentes).

E ficar sentada à mesa dos pirralhos usando minha blusa de boneco de neve foi humilhação dupla.

EU, SENTADA À MESA DAS CRIANÇAS

Tudo aquilo foi uma experiência bem traumática.

Ainda bem que a comida estava deliciosa, ou a visita teria sido totalmente inútil.

Minha tia Mabel é tão má quanto um pit bull, mas cozinha muito bem.

De qualquer forma, fiquei muito feliz quando voltamos para casa, porque pude brincar com meu celular novo.

NÃO consigo acreditar no tanto de coisas legais que ele tem, como internet, mensagens de texto, e-mails, mensagens instantâneas, jogos, câmera, ajuda para a lição de casa, entrega automática de pizza e uma linha direta de conselhos para adolescentes.

AI, MEU DEUS! Se os celulares dessem MESADA, os pais se tornariam OBSOLETOS!

A Brianna ficou MALUCA porque o aparelho veio com o jogo Princesa de Pirlimpimpim Salva a Ilha do Bebê Unicórnio. Deixei a Brianna jogar durante uma hora antes de dormir, e agora ela está, tipo, totalmente viciada.

Esse telefone novo vai me fazer economizar muito dinheiro.

Agora, sempre que eu precisar chantagear a minha irmãzinha para fazer alguma coisa, simplesmente vou pagar com minutos do jogo da princesa de pirlimpimpim, em vez de usar dinheiro.

Demorei um pouco para aprender, mas tirei uma foto minha com o celular e mandei para a Chloe, a Zoey e o Brandon.

Eles vão ficar superchocados e surpresos quando receberem a foto.

De modo geral, meu Natal foi muito bom.

Começou a nevar lá fora e tudo ficou parecendo o inverno no país das maravilhas.

Então, meu pai acendeu a lareira e, juntos, preparamos marshmallows. De novo! Só que dessa vez as calças do meu pai não pegaram fogo.

Tenho que admitir... Depois que a gente se acostuma, ter uma família para dividir esses momentos pode ser meio legal.

Eu me pergunto como estará sendo o Natal do Brandon?

É realmente admirável que ele ajude os avós como voluntário na Amigos Peludos. Eu faço um escândalo quando tenho de limpar meu quarto e colocar os pratos na lava-louça.

Sou uma PIRRALHA mimada! E não valorizo de verdade as bênçãos que tenho, como a minha família.

É tão impressionante pensar que ele perdeu praticamente tudo e ainda assim continua tendo tanto para DOAR!

ISSO sim é um verdadeiro MILAGRE DE NATAL!

☺!!

QUINTA-FEIRA, 26 DE DEZEMBRO

Hoje foi nossa primeira sessão de ensaio com a Victoria Steel, a diretora do *Holiday on Ice*, patinadora e medalhista olímpica.

Todo mundo que está participando recebeu um cartão de boas-vindas e uma lista de regras.

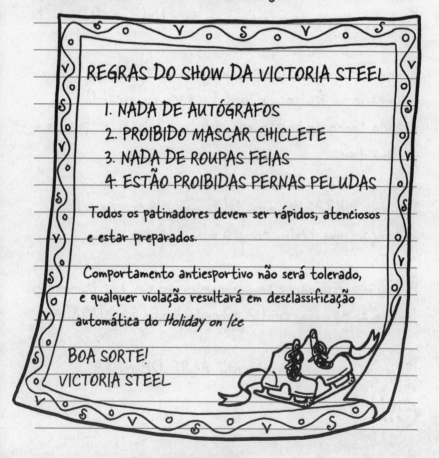

REGRAS DO SHOW DA VICTORIA STEEL

1. NADA DE AUTÓGRAFOS
2. PROIBIDO MASCAR CHICLETE
3. NADA DE ROUPAS FEIAS
4. ESTÃO PROIBIDAS PERNAS PELUDAS

Todos os patinadores devem ser rápidos, atenciosos e estar preparados.

Comportamento antiesportivo não será tolerado, e qualquer violação resultará em desclassificação automática do *Holiday on Ice*.

BOA SORTE!
VICTORIA STEEL

Tudo o que temos de fazer é sobreviver a três dias de ensaio com a Victoria.

Meu maior medo é que ela me expulse do show como fez com aquela pobre garota no ano passado. Chloe insistiu que aquilo não devia passar de boato, mas eu não quis me arriscar. Depois de fazer uma busca na garagem, encontrei a roupa perfeita para nosso primeiro ensaio.

Eu estava supernervosa quando minha mãe me deixou no rinque.

Eu só conseguia pensar no Brandon tendo que começar a estudar em um colégio novo em janeiro, sem nenhum amigo.

Como eu não queria que ninguém visse minha roupa, evitei o vestiário lotado e me troquei em um banheiro pequeno do outro lado do rinque.

Dei uma olhada no meu reflexo no espelho e sorri. Sabia que estava ridícula.

Mas, se meu plano funcionasse, eu ao menos conseguiria sobreviver ao primeiro ensaio.

Quando voltei ao rinque, a maioria das patinadoras já estavam ensaiando no gelo, incluindo a Chloe e a Zoey.

Fiquei impressionada ao ver como elas eram graciosas, e não pude fazer outra coisa senão sentir orgulho delas.

Perto da entrada principal, uma grande multidão cercou a Victoria. Ela era bonita, e parecia muito com a menina da capa do livro *A princesa do gelo*.

Fãs tiravam fotos com o celular e aguardavam em fila por um autógrafo.

E, como uma *pop star*, ela tinha uma equipe de apoio e seguranças.

Quando a Victoria passou por mim, ela tirou os óculos escuros e deu um suspiro de irritação.

"Vamos acabar logo com isso! Só espero que este grupo seja melhor que o do ano passado! Alguém pode me trazer água? Estou morrendo de sede!"

Seus funcionários se espalharam em diferentes direções, e poucos segundos depois dois assistentes e dois seguranças lhe ofereceram garrafas de água.

"AI, MEU DEUS! Você quer que eu beba de uma garrafa de PLÁSTICO?", ela gritou.

Uma coisa ficou clara. A mulher era uma diva mimada!

O assistente de diretor pediu para que todas as patinadoras se sentassem nas duas primeiras fileiras.

Em seguida, ele apresentou a Victoria e as patinadoras aplaudiram animadas.

Apesar do chilique por causa da água, ela imediatamente abriu um sorriso falso.

"E então? Quem gostaria de ser a primeira a me impressionar?", ela perguntou, dando uma olhada na lista de nomes em sua prancheta. "Vamos começar com um grupo. Que tal..."

Meu coração parou por um instante.

Por favor, não chama a gente! Por favor, não chama a gente! Por favor, não chama a gente! Eu repeti dentro da minha cabeça.

"...Chloe, Zoey e Nikki. Frente e centro!"

A Chloe e a Zoey se espalharam pelo gelo.

"Por que só estou vendo duas e não três meninas?", a Victoria perguntou com um olhar muito irritado.

"Hum... a Nikki deve estar aqui. Em algum lugar!", a Zoey respondeu e olhou com nervosismo para a Chloe.

"Estou aqui", eu disse, me dirigindo com cuidado para o gelo.

A Chloe e a Zoey olharam para mim, engasgaram e gritaram...

NIKKI, O QUE ACONTECEU?!!

Foi quando percebi que o gesso falso que eu fiz com papel higiênico e fita adesiva branca parecia muito real. Principalmente por causa das muletas velhas do meu pai, de quando ele saltou de bungee jump.

"Não se preocupem. Não é tão ruim quanto parece", respondi.

"AI, MEU DEUS! Está quebrado?", a Chloe perguntou.

"Coitadinha!", a Zoey exclamou.

"Estou BEM! DE VERDADE!", eu disse e meio que pisquei. A Chloe e a Zoey olharam para mim e então trocaram um olhar. Acho que entenderam a dica.

"Então, você é a Nikki?", a Victoria perguntou, olhando de cima para mim. "Eu sinto muito pelo seu pé, mas tenho um show para comandar aqui. Vocês três terão de participar no ano que vem. Sinto muito, meninas!"

"NÃO! POR FAVOR! Na verdade, foi só uma pequena torção. Meu médico disse que estarei bem até... até... amanhã!", gaguejei.

Foi quando a Victoria de repente espremeu os olhos em direção ao meu gesso e me encarou desconfiada. "Então, o seu médico usa FITA ADESIVA?" E então apoiou as mãos no quadril e gritou...

NÃO pude acreditar que aquela maluca chamou o segurança por causa daquilo. Ela é DOIDA!!

"Chloe e Zoey, em posição... agora! Quero ver essa coreografia!", ela gritou. "Mas estou avisando vocês! Se as TRÊS não estiverem prontas para patinar amanhã, serão desclassificadas! Entenderam?"

Nós fizemos que sim com a cabeça.

Enquanto eu corria para fora do gelo, fiz sinal de positivo para a Chloe e para a Zoey, e elas sorriram com nervosismo para mim. Desde que eu não estragasse as coisas, elas ficariam bem.

E eu estava certa. As duas patinaram perfeitamente, e a Victoria ficou surpresa e impressionada.

Decidi não ficar por ali até o fim da sessão de ensaio. Eu já tinha tolerado Victoria Steel o bastante por um dia e tinha certeza de que o sentimento era recíproco.

Voltei mancando para o banheiro, ansiosa para me livrar daquelas muletas desconfortáveis e do gesso que coçava. Eu estava prestes a telefonar para minha mãe, para que ela viesse me buscar, quando uma pessoa inconveniente entrou no banheiro.

Era a MACKENZIE! E, cara, ela estava irritada!

Eu ia piscar toda inocente e NEGAR completamente a história do gesso falso.

Mas então percebi que as muletas estavam encostadas na parede e eu estava ali de pé, muito bem apoiada no meu tornozelo "machucado".

OOPS!!

Falsos ou não, MEUS problemas de saúde não eram da conta da MacKenzie.

"Você está me chamando de falsa?", perguntei. "Você está usando TANTOS apliques de cabelo e TANTO gloss labial, que o corpo de bombeiros considera você um risco de incêndio ambulante devido ao grande perigo de combustão espontânea!"

AI, MEU DEUS! A MacKenzie estava tão brava que pensei que a cabeça dela fosse explodir.

Ela me encarou com aqueles olhos brilhantes e disse: "Já avisei a Victoria sobre você. Se der um passo em falso, ela vai tirar você desse show num segundo".

Então, ela se virou e saiu rebolando.

Odeio quando a MacKenzie rebola!

NÃO acredito que ela estava tentando me dar ordens daquele jeito. Afinal, QUEM ela pensa que é?! A POLÍCIA PATINADORA?!

De qualquer forma, o lado bom é que consegui sobreviver à primeira sessão de ensaio para o *Holiday on Ice* com Victoria, o dragão.

UM já foi, só faltam DOIS.

☺!!

SEXTA-FEIRA, 27 DE DEZEMBRO

Depois da ameaça de ontem da Victoria, não ousei aparecer com o gesso falso de novo.

Eu me revirei na cama quase a noite toda, tentando elaborar um novo plano.

Mas a triste realidade é que as coisas estavam acabadas para mim.

Assim que a Victoria me visse ~~patinando~~ me arrastando pelo gelo, ela expulsaria a Chloe, a Zoey e eu do show.

E não ajudava em nada o fato de a MacKenzie provavelmente estar dizendo a ela coisas horrorosas a meu respeito. Como por exemplo, que eu roubei a Amigos Peludos e que minha perna quebrada era uma farsa.

Tudo bem, eu assumo! Talvez a perna quebrada FOSSE mesmo falsa. Mas ainda assim! Não era da conta dela.

Quando a Victoria começou a gritar com o cara do som, com o cara da iluminação e com o cara do figurino (AI, MEU DEUS! Aquela maluca GRITAVA MUITO), eu decidi sair de fininho e me esconder na arquibancada por alguns minutos.

Assim, eu poderia ter meu enorme ataque de pânico em particular.

Eu estava bem pensativa, analisando minha situação sem solução, quando uma voz muito familiar me assustou.

"E aí, como é ser uma princesa do gelo?"

"BRANDON! O que você está fazendo aqui?", eu ofeguei.

"Vim agradecer por ter me dado aquele *scrapbook* maneiro! E torcer para a Equipe Amigos Peludos!"

Aquele garoto era legal demais para ser verdade. A chance de ele se mudar era tão... deprimente!

De repente, fui tomada pela emoção. Precisei morder o lábio para não começar a chorar.

O sorriso caloroso do Brandon lentamente desapareceu, e ele só ficou quieto olhando para mim.

"Nikki, você está bem? O que aconteceu...?"

"Desculpa, Brandon! Mas não sei se vou conseguir ganhar aquele dinheiro para ajudar a Amigos Peludos... Eu sinto MUITO! De verdade!"

"Do que você está falando? Ninguém está esperando que você seja uma profissional. Só participar do show já é o bastante."

"NÃO! NÃO é. Eu tenho que conseguir PATINAR na apresentação. E NÃO CONSIGO! Mas eu não sabia disso quando me ofereci para ajudar. Juro!"

"Para com isso, Nikki! Você não pode ser TÃO RUIM ASSIM!"

"Brandon, me escuta. Eu SOU muito ruim! Não, na verdade, eu sou PIOR! Estou seriamente esperando ser expulsa do show depois de patinar hoje."

O Brandon piscou, sem acreditar.

"A Victoria exige que as patinadoras estejam preparadas para patinar, e eu NÃO ESTOU! Mal consigo ficar de pé no gelo, muito menos patinar!"

Ficamos sentados ali em silêncio até que ele entendesse a gravidade da minha situação.

Se eu NÃO patinasse, a Amigos Peludos fecharia e o Brandon teria de se mudar!

Era uma situação na qual todo mundo sairia perdendo.

"Sinto muito, Nikki. Queria poder fazer alguma coisa...", o Brandon murmurou enquanto olhava para a Victoria, que agora estava gritando com o cara do som de novo.

Meu coração começou a bater forte quando ela anunciou pelo alto-falante que a Chloe, a Zoey e eu éramos as próximas.

O Brandon me deu um sorrisinho.

"Quebra tudo! Na verdade, tente não SE quebrar! Desculpa."

"Obrigada!", eu disse, rindo da piadinha.

O Brandon não sabia, mas eu JÁ tinha tentado enganar a Victoria dizendo que tinha quebrado a perna.

Não era novidade para mim!

Quando cheguei ao rinque, percebi que a Chloe e a Zoey também estavam supernervosas, mas tentavam fazer o possível para não demonstrar.

"Certo, Time Peludo! Abraço coletivo!", a Chloe disse, e balançou as mãos para tentar suavizar o clima.

Sabe-se lá como, consegui ir até o gelo e me colocar na posição sem cair.

E, quando a música começou, vi o Brandon se aproximar da Victoria com a câmera e tocar o ombro dela.

Quando ela se virou, ele se apresentou e apontou para a câmera.

Aparentemente, a Victoria logo ficou encantada com o profissionalismo, as boas maneiras e a simpatia dele.

O que era uma coisa muito boa, porque a nossa coreografia NÃO estava indo muito bem...

BRANDON, FOTOGRAFANDO A VICTORIA ENQUANTO EU CAÍA DE CARA

Coincidentemente (ou não), a sessão de fotos do Brandon durou até a última nota da música.

E quando a Victoria FINALMENTE se virou...

Nós abrimos um sorriso enorme e fizemos uma pose superFIRME. Como se fôssemos as três finalistas do *America's Next Top Model* ou alguma coisa assim.

Ninguém nunca adivinharia que caí quatro vezes durante nossa coreografia de três minutos.

AI, MEU DEUS! Eu tinha passado tanto tempo patinando com meu TRASEIRO, que já estava com queimaduras.

A Victoria ficou só olhando para a gente com uma cara esquisita enquanto segurávamos a respiração.

"Bom trabalho, meninas!", ela disse finalmente, e se virou para sua assistente. "ONDE está meu cappuccino? Será que tenho que cuidar desta apresentação E do SEU trabalho?!"

Brandon abriu um enorme sorriso e piscou para mim.

Eu queria DERRETER e me transformar numa poça de água bem ali no gelo.

Evidentemente, quando passei pela MacKenzie, ela estava me encarando e torcendo o nariz.

Mas eu já sabia que eu era uma patinadora HORRÍVEL.

Ela não precisava me lembrar disso.

De qualquer forma, não CONSIGO ACREDITAR que AINDA estamos no show.

O Brandon é tão LEGAL! Não pude acreditar que ele ajudou a gente daquele jeito.

DUAS sessões de ensaio VENCIDAS.

E falta só UMA!

UHUUU!!

☺!!

SÁBADO, 28 DE DEZEMBRO

A BRIANNA E EU ANDANDO DE TRENÓ (UMA EXPERIÊNCIA ASSUSTADORA)

BRIANNA, VOCÊ TEM CERTEZA DE QUE QUER DESCER A LADEIRA DO HOMEM MORTO? PODE SER MEIO ASSUSTADOR PARA UMA CRIANCINHA COMO VOCÊ!

CONTINUA...!!
☹!!

DOMINGO, 29 DE DEZEMBRO

BRIANNA E EU ANDANDO DE TRENÓ (UMA EXPERIÊNCIA ASSUSTADORA) CONTINUAÇÃO...

Quando vimos nossas heroínas, Brianna e Nikki, pela última vez, elas estavam descendo uma alta montanha, prestes a morrer. Mas quando parecia que elas estavam realmente ENCRENCADAS...

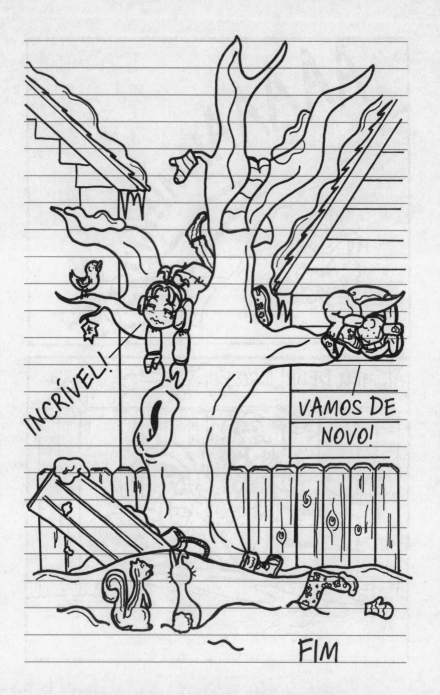

SEGUNDA-FEIRA, 30 DE DEZEMBRO

As prioridades dos meus pais estão totalmente equivocadas.

Minha mãe teve que sair para visitar uma amiga que acabou de ter bebê.

E meu pai recebeu uma chamada de emergência de uma senhora rica cujo jantar chique havia sido invadido por alguns convidados inesperados. Cerca de duas mil formigas!

Adivinha QUEM ficou presa tendo que cuidar da Brianna?

EU! Eu mesma!

Ainda que isso significasse que eu teria de levá-la comigo para uma sessão de ensaio EXTREMAMENTE importante em um rinque de patinação que envolvia três mil dólares e possivelmente VIDA e MORTE!

Um BEBÊ nasce em algum lugar do mundo a cada sete segundos e as FORMIGAS continuarão existindo mesmo depois de uma guerra nuclear.

COMO assim o que ELES estavam fazendo era MAIS importante do que o que EU estava fazendo?!

"Nikki, ligue pra mim quando o treino acabar", minha mãe disse ao parar na frente do local do rinque. "E, Brianna, comporte-se e obedeça à sua irmã, está bem?"

"Certo, mamãe!", a Brianna sorriu como um anjinho.

Então, ela se virou e mostrou a língua para mim.

"Nikki, posso jogar a Princesa de Pirlimpimpim no seu telefone?", a Brianna perguntou conforme entrávamos no prédio.

Era a quinta vez que ela me pedia isso hoje.

"Não, Brianna, você está aqui para ver as patinadoras."

A Chloe e a Zoey já estavam ensaiando no gelo. Mas, quando viram a Brianna, saíram correndo e lhe deram um abraço de urso.

A Brianna ficou fascinada com as patinadoras e ficou sentada quietinha e assistindo. Eu mal podia acreditar que ela estava se comportando tão bem.

Cerca de vinte e cinco minutos depois, a Victoria chamou nosso nome.

"Vamos lá!", a Zoey disse com um sorriso nervoso. "Você está pronta, Nikki?"

Respirei fundo e dei um passo à frente para encarar meu destino. Eu estava tão nervosa que pensei que fosse vomitar meu queijo quente.

Eu tinha conseguido passar pelos dois primeiros ensaios sem que a Victoria me expulsasse da apresentação.

Mas se não houvesse um grande milagre, seria de uma vez por todas o fim da linha para mim. Quando ela realmente me visse patinando ou, corrigindo, TENTANDO patinar, eu estaria COMPLETAMENTE fora do show.

"Chamada final!", a Victoria disse bem alto. "Chloe, Zoey e Nikki!"

Conforme nos dirigíamos até o gelo, a Victoria nos observava como um gavião. Eu me esforcei ao máximo para NÃO cair.

A gente já ia para a posição inicial quando, de repente, houve uma grande confusão na arquibancada...

EI, MENINAS, EU TAMBÉM QUERO DESLIZAR NO GELO!

Eu patinei até lá, segurei a mão da Brianna e a levei de volta para a arquibancada!

"Brianna! Você quer que a gente seja expulsa do show?", eu sussurrei. "Sente ali e não se mexa!"

Ela me lançou seu mais triste olhar de cachorro sem dono. "Mas, Nikki, eu quero deslizar no gelo com você, a Chloe e a Zoey!"

A Victoria estava com cara de quem ia fazer um escândalo. Mas, como havia uma equipe de filmagem por perto, ela só esticou os lábios para formar um sorriso frio e forçado de modelo e piscou bem rápido.

Quando me virei para voltar para o gelo, um cara de uniforme azul me parou.

"Com licença, tenho uma entrega de flores para Victoria Steel. É da prefeitura. Me disseram para deixar na recepção, mas não tem ninguém lá. Você sabe onde ela está?"

"Claro, ela está bem ali", eu disse, apontando.

A Victoria parecia estar dando uma entrevista ao vivo para a TV.

"Bom, não quero atrapalhar. Mas estou atrasado com as entregas. Poderia, por favor, entregar este buquê a ela?"

"Sem problemas!", eu disse.

Ele colocou um belo buquê com duas dúzias de rosas no assento ao lado da Brianna.

"Oooh! Que LINDAS!", a Brianna gritou. "São suas?"

"Não, são para aquela moça ali", eu disse, apontando para a Victoria. "Tenho que entregá-las a ela."

"Nikki, eu posso entregar?", ela perguntou toda animada.

"Nem pensar! Fique onde está!"

Foi quando tive a ideia mais brilhante de todas!

"Pra falar a verdade, Brianna, você faria um ENORME favor se entregasse estas flores à Victoria!", eu disse, feliz.

"Que legal!", ela comemorou.

"Mas preciso que você seja muito cuidadosa com elas. Faço sinal quando for o momento certo, tá?"

"Tá. Posso cheirar todas elas também? Aposto que elas têm cheiro de algodão-doce! Ou de chiclete!"

Fui para o meu lugar no gelo, ao lado da Chloe e da Zoey, mas estava tão nervosa que não conseguia pensar direito.

Quando a música estava prestes a começar, acenei para a Brianna para que ela levasse as flores à Victoria.

Mas a Brianna apenas sorriu e acenou de volta.

Acenei de novo e dessa vez apontei para as flores. Mas a Brianna só acenou e apontou para as flores também.

QUE MARAVILHA ☹!!

Enquanto a música saía pelo alto-falante, a Chloe e a Zoey moveram-se graciosamente pelo gelo.

Mas eu me mantive ali na minha posição, balançando os braços em câmera lenta e desejando poder patinar e estrangular a Brianna.

Depois de, tipo, uma ETERNIDADE, a Brianna finalmente se ligou. Ela pegou o buquê e caminhou em direção à Victoria.

A Brianna puxou a manga do casaco da Victoria e, quando a moça se virou, ela abriu um enorme sorriso.

"Psiuuu!", a Chloe sussurrou. "Nikki! PATINE!"

Eu parti escorregando pelo gelo, logo perdi o equilíbrio e caí de joelhos.

A Brianna sorriu e entregou o buquê de flores para a Victoria.

"Para mim?", ela ficou emocionada como se tivesse acabado de ganhar mais uma medalha de ouro ou alguma coisa assim.

Então, eu tropecei no pé da Chloe, bati na Zoey e escorreguei sentada pelo gelo. Foi... SURREAL!

Totalmente lisonjeada com o presente da Brianna, a Victoria pegou caneta e papel e deu um autógrafo para a minha irmã.

E como Brianna é tão vaidosa quanto a patinadora celebridade, ela insistiu em dar à Victoria o SEU autógrafo também.

Então a Brianna deu um abraço de urso na Victoria.

É claro que as câmeras de televisão captaram cada segundo.

Parecia que todos aqueles abraços, sorrisos e emoções durariam, tipo, uma ETERNIDADE. Ou, pelo menos, tempo suficiente para que a gente terminasse nossa coreografia.

Mais uma vez, paramos com uma pose BRUTAL e esperei pelo resultado sem respirar.

Quando por fim a Victoria se virou para a gente, ela estava praticamente radiante.

Com um buquê em um dos braços e a Brianna no outro, ela sorriu e disse:

Enquanto a Chloe, a Zoey e eu piscávamos espantadas, a Brianna comemorou. Muito alto.

Ei! Quem somos NÓS para discordar da grande e maravilhosa Victoria Steel? E de sua humm... fiel aliada, a Brianna!

Então, nesse exato momento, NÃO estou brava com meus pais por causa dessa história de cuidar da minha irmã.

O mais incrível é que eu realmente SOBREVIVI a três sessões inteiras de ensaio com A Victoria Steel, a DIVA DEMONÍACA da patinação mundial!

Agora se eu conseguir apenas passar pela apresentação toda amanhã, a Amigos Peludos será salva e o Brandon não terá de se mudar.

NÃO estou nem um pouco ansiosa para me humilhar publicamente tropeçando, escorregando e me atrapalhando na coreografia amanhã.

Mas estou disposta a fazer o que for preciso.

E eu AINDA estou muito preocupada, achando que a MacKenzie vai armar alguma coisa no último minuto para tirar a gente do show.

Apesar de ela não ter dito nada desde a nossa pequena discussão no banheiro alguns dias atrás, sempre que olho para ela, ela está me encarando como uma serpente muito faminta olhando para um rato.

Aquela garota é CRUEL.

Vai fazer simplesmente o que puder a quem quer que seja para conseguir o que ela quer.

Ficarei TÃO aliviada quando o *Holiday on Ice* terminar DE VEZ!

☹!!

TERÇA-FEIRA, 31 DE DEZEMBRO

AI, MEU DEUS! AI, MEU DEUS! AI, MEU DEUS! Não posso acreditar no que acabou de acontecer! Eu acho que devo começar do começo...

O *Holiday on Ice* é bem conhecido pelas fantasias fabulosas. E, este ano, a Victoria Steel pegou emprestado o figurino de uma coleção particular de um famoso e premiado produtor da Broadway.

Às nove da manhã, todo mundo se reuniu com a figurinista para a última prova e inspeção final.

A Chloe, a Zoey e eu estávamos patinando ao som de "A dança da fada do açúcar", do *Quebra-nozes*.

Isso porque a Chloe e a Zoey estavam loucas para vestir uma roupa superbrilhante, como a da heroína de *A princesa do gelo*.

Bom, minhas melhores amigas conseguiram o que queriam! As roupas que a Victoria escolheu para a gente eram MARAVILHOSAS!

Eu quase desmaiei de choque quando até a MacKenzie nos elogiou.

Ela disse que amou nossas lindas fantasias e que eram as suas favoritas.

Depois que as provas terminaram, passamos a manhã em um spa extravagante fazendo as unhas das mãos e dos pés. Em seguida, fomos a um salão para fazer penteado e nos maquiar.

Quanto GLAMOUR! A gente estava pronta para a capa da revista *Girl's Life*!

Fizemos um lanche rápido e já eram quase duas da tarde, hora de voltar para a arena para nos vestirmos para o show, que seria às quatro.

Apesar de eu estar supernervosa por ter de patinar na frente de mil pessoas, meu único objetivo era terminar a coreografia. Mesmo que aquilo me matasse.

Então, a Amigos Peludos receberia o dinheiro e o Brandon poderia continuar no WCD ☺!

Mas, infelizmente, o que começou como um ótimo dia foi arruinado em pouco tempo quando percebemos...

QUE NOSSAS FANTASIAS DE FADA DO AÇÚCAR HAVIAM DESAPARECIDO! E NO LUGAR DELAS ESTAVAM...

FANTASIAS DE PALHAÇO?!

Quando relatamos a situação à figurinista, ela e a sua equipe passaram trinta minutos procurando nossas roupas.

Mas não foram encontradas.

Suspeitei secretamente de que a MacKenzie tivesse algo a ver com o sumiço.

Ela deu um sorrisinho maldoso e cochichou sobre as nossas fantasias. Mas eu não tinha nenhuma prova.

Parece que a Victoria tinha pedido as fantasias de palhaço e mais outras três, mas decidiu não usá-las.

Todas as roupas extras tinham sido apanhadas ao meio-dia por um serviço de entrega, para serem levadas de volta a Nova York. Mas, SABE SE LÁ COMO, nossas fantasias e as de palhaço haviam sido trocadas.

Isso significa que a essa hora as nossas belas fantasias de fada do açúcar já deviam estar chegando a Nova York.

Ficamos arrasadas! A Chloe e a Zoey ficaram tão chateadas que começaram a chorar.

"Vamos lá, meninas!", eu disse. "Não fiquem chateadas. Nós AINDA podemos patinar!"

"Mas eu queria muito ser uma princesa do gelo!", a Chloe resmungou.

"Eu também!", a Zoey fungou.

"Mas vocês não percebem? Isso é mais importante do que simplesmente parecer glamourosa. Estamos fazendo isso pela Amigos Peludos, lembram?!", eu disse, tentando incentivá-las.

"E, sim, eu sei!", continuei. "Essas fantasias de palhaço são feias de doer, e provavelmente vamos ficar assustadoras e parecer meio doidas. E o pessoal do colégio vai tirar sarro da gente pelo resto do ano, e provavelmente seremos uma vergonha para os nossos pais. Mas vejam o lado bom..."

A Chloe e a Zoey olharam ansiosas para mim. "Qual é o lado bom?", as duas perguntaram.

"Bem, humm... na verdade, é... Tudo bem! Talvez NÃO TENHA um lado BOM! Mas muitas pessoas legais e animais peludos estão contando com a gente! Perguntem a si mesmas o que a princesa do gelo faria nessa situação."

De repente, a Chloe secou as lágrimas e colocou as mãos no quadril. "Bom, a princesa Crystal arrasaria e mandaria aqueles Vambis para o inferno! Era isso que ela faria!"

"E, se fosse preciso, ela usaria uma fantasia medonha de palhaço para salvar a humanidade!", a Zoey acrescentou.

Então, a Zoey abaixou o tom de voz, quase sussurrando. "A arte da palhaçada é ainda mais profunda do que pensamos... É o espelho CÔMICO da tragédia, e o espelho TRÁGICO da comédia', André Suarès."

FINALMENTE! Parece que eu tinha conseguido passar a mensagem às minhas melhores amigas.

"Vamos lá, meninas!", eu disse. "VAMOS ARREBENTAR!!"

Foi quando demos um abraço coletivo!

Foi meio estranho deixar de ser uma fada do açúcar glamourosa e passar a ser um palhaço ridículo, mas, assim que nos vestimos, tentamos manter uma atitude positiva.

Apesar da nova fantasia, decidimos continuar com a música e com a coreografia originais.

Principalmente porque já estávamos ensaiando havia duas semanas.

Em seguida, a minha mãe e a Brianna voltaram ao vestiário para nos desejar boa sorte. Quando a Brianna viu a nossa roupa de palhaço, ela ficou muito animada.

"Ei, advinha? Quando eu crescer, vou deslizar no gelo e serei uma palhaça assustadora e ridícula também, como vocês!", ela se emocionou.

Eu acho que isso foi um elogio, mas não tenho certeza.

A Brianna pegou meu celular de cima da mesa e seus olhos brilharam.

"Não, Brianna. Eu disse que você não pode NUNCA encostar no meu telefone, a menos que eu permita. Lembra?"

"Por favor, por favor!", a Brianna choramingou. "Eu prometo que não vou quebrar." Então, ela colocou os braços para trás para eu não conseguir pegar meu celular.

"MÃÃÃEEE!", eu choraminguei ainda mais alto que a Brianna.

"Brianna Maxwell!", minha mãe deu bronca. "Você conhece as regras. Você não pode mexer no celular da sua irmã, a menos que ela dê permissão. Agora devolva!"

A Brianna lançou para a minha mãe seu olhar de cachorro sem dono e fez um bico como o de uma criança de dois anos. Mas finalmente entregou meu telefone, e eu o arranquei da mão dela.

"Eu e a Bicuda achamos você MUITO MESQUINHA", a Brianna disse, mostrando a língua para mim.

"Legal. Então, VOCÊ e a BICUDA NUNCA, NUNCA MAIS poderão jogar o jogo da princesa de pirlimpimpim no meu telefone, pelo RESTO da vida. PRONTO!"

E então eu mostrei a língua para as duas.

"Certo, meninas! Já chega!", a minha mãe deu bronca na Brianna e em mim.

Coloquei o telefone de novo em cima da mesa.

Mas, quando eu vi que a Brianna estava me observando como um gavião, eu o enfiei no bolsinho fofo da minha bolsa e enfiei a bolsa na mochila, com o restante das roupas.

Bem quando a minha mãe e a Brianna estavam partindo, o assistente de palco anunciou que o show começaria em quarenta e cinco minutos. Todas as patinadoras deveriam dar seu nome à produtora do outro lado do corredor.

"Preciso ir ao banheiro!", a Brianna resmungou bem alto. "AGORA!"

Ela era uma VERGONHA!

A Chloe mostrou para a Brianna e para a minha mãe a porta do banheiro no vestiário.

E então nós corremos para dar nossos nomes.

Quando voltamos ao vestiário para pegar nossos patins e começar o aquecimento, vimos um bilhete colado na porta.

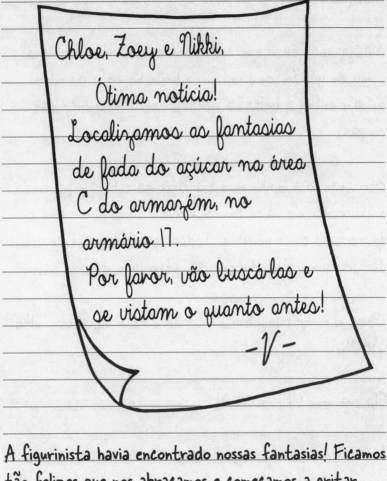

A figurinista havia encontrado nossas fantasias! Ficamos tão felizes que nos abraçamos e começamos a gritar.

"AI, MEU DEUS! Finalmente encontraram!", eu gritei.

"Bem na hora!", a Zoey gritou.

"Seremos princesas do gelo, no fim das contas!", a Chloe berrou.

"VAMOS!", gritei quando descemos o corredor. "Temos só meia hora até o show começar!"

De repente, a Chloe parou.

"Esperem! Vou pegar meu celular para avisarmos nossas mães que encontraram as fantasias de fada. Além disso, temos que tirar a maquiagem de palhaço e passar a outra, então vamos precisar da ajuda delas!"

"Ótima ideia!", a Zoey e eu exclamamos.

A área C do armazém ficava do outro lado da arena, perto dos vestiários dos jogadores de hóquei. Todos os treinos tinham sido cancelados por causa do show, por isso os corredores estavam escuros e estranhamente silenciosos.

"Sou eu, ou este lugar é meio assustador?", a Zoey perguntou agitada.

"Vamos só pegar nossas roupas e dar o fora daqui", a Chloe garantiu.

"Certo. Armário catorze, quinze, dezesseis", contei em voz alta, "e dezessete. É este aqui, meninas!"

O armário tinha apenas um trinco do lado de fora.

Nós abrimos e demos uma espiada. Estava ainda mais escuro do lado de dentro.

"Não sejam medrosas!", provoquei. "É só um armário", eu disse conforme nós três entrávamos.

"Tem luz aqui?", a Zoey perguntou.

"Ei! Vamos usar meu celular!", a Chloe sugeriu. "Ele acende!"

Ela o segurou bem alto no meio do armário, e um fraco brilho verde surgiu.

"Obrigada, assim fica bem melhor", eu disse. "Certo, vejo tacos de hóquei, discos e patins. Mas nenhuma fantasia de..."

De repente, a enorme porta de metal fechou com tudo.
Então ouvi o trinco deslizando.

CLACK!

O barulho de passos rápidos ecoaram do lado de fora e depois ao longo do corredor vazio.

A Chloe, a Zoey e eu ficamos nos olhando horrorizadas conforme percebíamos a gravidade da situação. Aí, tivemos um ataque e começamos a bater na porta de metal como doidas.

"Socorro! Alguém nos ajude! Estamos trancadas aqui dentro! Tirem a gente daqui! Socorro! Socorro!", gritamos sem parar.

Mas logo ficou claro que quem tinha nos trancado ali não voltaria logo.

Caímos numa armadilha. Nunca houve nenhuma fantasia de fada do açúcar no armário 17.

E tudo o que podíamos fazer era observar agitadamente a luz verde do celular da Chloe ficar cada vez mais fraca.

"Desculpa, meninas. Acho que esqueci de carregar a bateria. Mas acho que consigo fazer três ou quatro ligações antes de ele desligar. Sugestões?"

Durante cerca de trinta segundos, o armário ficou tão quieto que dava para ouvir uma agulha caindo.

"Vamos tentar telefonar para nossas mães primeiro", a Zoey disse.

"Boa ideia!", a Chloe e eu concordamos.

Mas não foi uma boa ideia. O telefone das três caiu direto na caixa postal. Isso significava que já tinham desligado os aparelhos para não tocarem durante a apresentação.

Ainda assim, cada uma de nós deixou uma mensagem de voz bem detalhada.

A BOA notícia é que, na pior das hipóteses, nossas mães escutariam as mensagens DEPOIS que as apresentações tivessem terminado e iriam nos procurar.

Então, seria questão de tempo até sermos salvas.

Mas a notícia RUIM era que ficaríamos presas no armário por duas longas e assustadoras horas no escuro até elas aparecerem.

"Mais um telefonema. Se tivermos sorte!", a Chloe anunciou, olhando para seu celular.

"Bom, acho que devemos telefonar para a polícia", a Zoey disse.

"Verdade, mas, até chegarem aqui, já teremos perdido a hora da nossa apresentação", a Chloe pensou.

"Sim, o show começa em quinze minutos", eu disse, olhando para o meu relógio.

"Vocês têm razão", a Zoey concordou. "E vai ser uma vergonha danada quando aparecerem com três viaturas, dois caminhões do corpo de bombeiros e uma ambulância só para destrancar a porta de um armário. Seremos eternamente lembradas por isso."

"Eles provavelmente AINDA estarão rindo da gente na nossa formatura do ensino médio", a Chloe disse. "Prefiro esperar a chegada das nossas mães depois do show."

Eu NÃO podia acreditar que a gente tinha ido tão longe para acabarmos presas num armário dentro da arena de patinação, faltando doze minutos para o show começar.

Senti um nó enorme na garganta quando pensei no Brandon. Agora ele teria que deixar sua casa e os amigos do WCD e começar tudo de novo.

Eu me senti péssima por ele. Mas eu não podia fazer nada. Ter me inscrito nessa apresentação idiota foi um GRANDE ERRO.

Se ao menos eu tivesse deixado a MacKenzie patinar pela Amigos Peludos como ela queria... A vida do Brandon não teria que virar de cabeça para baixo de novo. Meu coração doía só de pensar nas coisas pelas quais ele tinha passado.

Ele havia perdido os pais e eu não valorizava nem um pouco os meus.

Meus olhos se encheram de lágrimas, mas eu controlei o choro. Escutei a Chloe e a Zoey começando a fungar também.

O Brandon teria que ir embora bem quando estávamos começando a nos conhecer.

A Brianna era tão MALCRIADA com ele, e ainda assim ele deu a ela aquele cartão de agradecimento dos cachorrinhos e...

Foi quando uma pequena luz se acendeu na minha mente.

BRIANNA, A PIRRALHA?!

Sim! A minha irmãzinha maluca, que eu sempre achava um PÉ no saco.

"Chloe, eu tive uma ideia! Liga para o meu celular! Rápido! Antes que a bateria acabe!"

"O quê? Mas por quê?", a Chloe perguntou. "Você não deixou no vestiário? Todo mundo já deve ter saído de lá faz tempo."

"Eu sei! Mas liga! POR FAVOR! Estamos sem tempo! O show vai começar em dez minutos!"

A Chloe e a Zoey ficaram me olhando como se eu fosse doida.

Por fim, a Chloe deu de ombros, telefonou para o meu celular e colocou no viva-voz para a gente escutar.

Ele tocou uma. Duas. Três vezes.

Eu tinha configurado o telefone para cair na caixa postal no quinto toque.

"Por favor, atenda! Por favor, atenda!", implorei em voz alta.

Tocou a quarta vez. Então...

"Alô? Quem é?", uma voz fininha atendeu.

AI, MEU DEUS! BRIANNA! Você está com o meu celular? Ainda bem!

A Chloe e a Zoey começaram a gritar animadas também.

"Desculpa, mas não sou eu", a Brianna continuou. "Não estou em casa agora porque estou esperando a Nikki patinar. Por favor, deixe uma mensagem. Tchau!"

"NÃÃÃÃOOOO! Não desliga!", todas nós gritamos desesperadas.

"Por favor, Brianna! Escuta! Não desliga!", implorei. "Eu liguei só para dizer que, humm, você pode jogar o jogo da princesa de pirlimpimpim no meu telefone enquanto estivermos patinando, tá?"

Um longo silêncio. "Sério?"

"Sério!"

"Que legal! A Bicuda pode jogar também? Eu falei para ela não espiar seu telefone nem jogar o jogo da princesa, mas ela não me obedeceu. É tudo culpa DELA, não minha. Mas ela está muito arrependida!"

"Claro, Brianna, a Bicuda pode jogar também."

"Tá bom! Obrigada! TCHAU!"

"ESPERA!", gritei. "Preciso falar com a mamãe ou com o papai. É uma emergência!"

"O papai foi comprar pipoca pra mim. E a mamãe está conversando com aquela moça da aula de balé que tem um bocão. Não posso interromper a mamãe de novo, porque senão... Mas adivinha quem está passando por aqui? O BRANDON, o GATINHO! Oi, Brandon, gatinho! Sou eu! Conversamos no telefone, lembra?! A Nikki estava no banho e tinha um esquilo morto no quintal da sra. Wallabanger."

Vozes abafadas.

Eu NÃO podia acreditar que a Brianna estava contando todas as nossas coisas pessoais daquele jeito.

"Brianna! BRIANNA!", gritei.

"O QUÊÊÊÊÊ?", ela bufou.

"Você pode passa o telefone para o Brandon gatinho? Preciso falar com ele. Tá?", perguntei.

"Bom, só um pouco. Vou jogar o jogo da princesa de pirlimpimpim neste telefone. Peraí."

Mais vozes abafadas.

"Alô. Nikki?"

"Brandon! AI, MEU DEUS! Estamos presas em um armário na arena! Na área C do armazém, armário dezessete. O telefone da Chloe vai desligar a qualquer momento. Por favor, venha nos tirar daqui!"

"O QUÊ? Onde você disse que estão?"

"Estamos presas em um..."

Foi quando a bateria do celular da Chloe acabou e o aparelho desligou.

Nós três ficamos só sentadas ali, no escuro, chocadas e sem ter o que dizer.

Não tínhamos ideia se o Brandon havia escutado ou não os detalhes de onde estávamos. Mas quando estávamos quase sem esperança...

O show começaria em quatro minutos.

Voltamos correndo para o vestiário e pegamos nossos patins e perucas de palhaço, com a Brianna rindo o tempo todo.

Os olhos dela brilharam quando viu a enorme e colorida caixa de presente.

"Nikki, posso pegar esse presente muito grande?"

"Não, Brianna, a caixa está vazia. É só uma coisa para as palhaças usarem."

"Quero ser uma palhaça TAMBÉM!", ela fez bico.

Foi quando a Chloe, a Zoey e eu tivemos a mesma ideia no mesmo exato momento.

Acho que o velho ditado "Mentes brilhantes são semelhantes" é verdade.

A arena estava lotada, e a empolgação era tão grande que dava para sentir no ar.

Diversas emissoras de TV locais estavam transmitindo ao vivo.

Victoria Steel, mais glamourosa do que nunca, cumprimentou a plateia com muita simpatia e incentivou todo mundo a doar quantias generosas às organizações de caridade que estavam sendo representadas no show.

Então, fez um discurso surpresa. "Para demonstrar nosso comprometimento com a comunidade de vocês, além dos três mil dólares que cada organização está recebendo, o *Holiday on Ice* vai dar um prêmio de mais dez mil dólares à favorita do público."

Ao ouvir aquilo, a plateia toda ficou de pé e aplaudiu muito.

O público estava muito envolvido!

Aquilo estava se tornando o *American Idol*.

NO GELO!

O grande prêmio em dinheiro parecia interessante e tal. E eu tinha certeza de que a Amigos Peludos precisava dele.

Mas meu objetivo era simplesmente terminar a coreografia e me sair bem o suficiente para conseguir os três mil dólares.

Em pouco tempo, as luzes se apagaram e o show no gelo começou.

Eu não fiquei nem um pouco surpresa ao ver que a MacKenzie tinha sido escolhida para abrir o show.

Ela patinou ao som de *O lago do cisne* e foi INCRÍVEL!

E, quando ela terminou, a plateia aplaudiu de pé.

Na minha opinião, a MacKenzie era a candidata mais forte a ser escolhida pelo público. Ela também sabia disso, porque ficou posando e acenando para as pessoas...

Quando a MacKenzie deixou o gelo, ela pareceu muito chocada e surpresa ao nos ver esperando nos bastidores.

Eu sorri e acenei, mas ela apenas empinou o nariz e passou por nós.

"MacKenzie, você é uma cobrinha podre. Aquilo foi muito BAIXO. Você obviamente chegou ao fundo do poço e ainda cavou para ir mais fundo", eu disse bem na cara dela.

Ela olhou ao redor e me encarou com desprezo. "Você diz isso como se fosse algo ruim. Na verdade, eu estava tentando te fazer um favor, salvando você e suas amiguinhas da humilhação pública. Mas, já que insiste, vá em frente. PERDEDORAS!"

Quando chegou a nossa vez de patinar, eu estava uma pilha de nervos.

Meus joelhos ficaram bambos ANTES mesmo de eu chegar ao gelo.

Mas, sabe-se lá como, eu me coloquei em posição sem cair de cara.

Enquanto esperávamos a música começar, a Zoey abriu um enorme sorriso para a Chloe e para mim.

Então, ela sussurrou alto: "'Todo ser humano é um palhaço, mas poucos têm coragem de mostrar isso', Charlie Rivel".

Eu sorri. "Obrigada, Zoey!"

AI, MEU DEUS! As borboletas no meu estômago estavam tão agitadas que eu achei que ia vomitar meu almoço bem no gelo, na frente da plateia.

Foi quando a Zoey sussurrou mais alto ainda. "'Um palhaço é um anjo de nariz vermelho', J. T. 'Bubba' Sikes."

E eu, tipo, "Faaala sério! Já chega, Zoey. Foi bonitinho da primeira vez, mas esse PALHACISMO filosófico está começando a me irritar!"

Mas isso tudo eu disse dentro da minha cabeça, então só eu mesma escutei.

Eu sabia que ela só estava tentando fazer com que eu me sentisse melhor.

Na verdade, eu tinha muita sorte de ter uma melhor amiga como ela.

Enquanto a música ressoava nos alto-falantes, a Chloe e a Zoey deslizavam pelo gelo como borboletas graciosas.

Tá bom. Como borboletas graciosas vestindo fantasias de palhaço idiotas.

Eu tinha que fazer um zigue-zague, mas fiz um zague-zigue.

Ou será que eu tinha de fazer um zague-zigue, mas fiz um zigue-zague?

De qualquer forma, eu tropecei, caí de bunda e deslizei pelo gelo a sessenta quilômetros por hora, como um trenó humano.

E então, *BAM!!* Bati bem no enorme presente que usaríamos como cenário.

A Chloe e a Zoey ficaram totalmente chocadas e pararam de patinar.

Eu me senti tão mal por arruinar a nossa coreografia que senti vontade de chorar. A MacKenzie tinha razão! Estávamos fazendo papel de tontas.

Eu meio que já estava esperando a Victoria gritar:

"SEGURANÇA! Tire essas PALHAÇAS do meu rinque!"

E, uma vez que fôssemos expulsas do show, a Amigos Peludos fecharia e o Brandon seria forçado a se mudar.

Eu provavelmente nunca mais o veria de novo ☹!

Só fiquei ali sentada em choque, exausta demais para me levantar.

Mas foi aí que notei a coisa mais incrível do mundo.

A plateia toda estava RINDO.

E todas as crianças estavam de pé, apontando e batendo palmas.

Aparentemente, elas acharam que o fato de eu patinar de traseiro no gelo e quase rachar a cabeça fazia parte de um ato de comédia ou alguma coisa assim.

Foi aí que me ocorreu que ESTÁVAMOS usando fantasias de palhaço.

DÃ!

E palhaços têm que ser engraçados!

DÃ!

E estão sempre caindo e derrubando uns aos outros.

DÃ!

Eu acho que a Chloe e a Zoey devem ter percebido a reação da plateia e chegaram à mesma conclusão.

A plateia parecia estar AMANDO a gente!

Quero dizer, AMANDO A GENTE DE VERDADE!

Daquele momento em diante, nós arrasamos totalmente!

A plateia ficava MA-LU-CA sempre que fazíamos passos legais da nossa coreografia do *Balé dos zumbis*. Provavelmente porque ninguém nunca tinha visto PALHAÇOS ZUMBIS fazerem o MOONWALK de patins no gelo antes!

Eu até arrisquei uns passinhos de quando a Brianna e eu nos apresentamos AO VIVO na Queijinho Derretido!

Eu me senti tão feliz e relaxada que, de repente, patinar deixou de ser tão difícil.

Quase parecia uma coisa natural.

FINALMENTE!

O mais estranho é que não caí acidentalmente nem UMA VEZ durante os dois minutos e meio que restavam.

Eu só CAÍA de PROPÓSITO!

Para fazer a plateia rir.

Ei! Eu era uma palhaça!

Era o meu TRABALHO!

Conforme nossa música foi chegando ao fim, eu queria continuar patinando.

Aquele foi o momento mais divertido que a Chloe, a Zoey e eu já tivemos juntas.

E tem mais!

A plateia teve uma surpresa inesperada quando uma palhacinha pulou da caixa...

a BRIANNA!!!

Acho que podemos dizer que ela roubou a cena...

EU, A CHLOE, A ZOEY E A BRIANNA — UMA TRUPE DE PALHAÇAS SUPERFOFAS!

Arrasamos totalmente na última pose, e a plateia ficou ENLOUQUECIDA!! Até fomos aplaudidas de pé.

Quando saímos do gelo, estávamos MUITO felizes! A gente deu um abraço coletivo com a Brianna e a Bicuda também!

Não pensei que nosso dia pudesse melhorar, mas melhorou. Adivinhem quem foi a equipe favorita do público, que ganhou um cheque de dez mil dólares para a Amigos Peludos?

O tempo todo em que a gente era fotografada, a MacKenzie ficou olhando furiosa para a minha cara.

Senti vontade de me aproximar dela e dizer: "Ei, o que ACONTECEU? Você está BRAVA, amiga? Hein? É isso? Você está BRAVA?!!"

Mas não fiz isso. Porque eu estava tentando ser legal e demonstrar espírito esportivo.

Apesar do fato de ELA ser a maior TRAPACEIRA do mundo!!

Não conseguia acreditar que ela tinha roubado nossas roupas E nos trancado naquele armário.

Mas seu plano maligno se virou totalmente CONTRA ela.

PALHAÇOS derrubando uns aos outros e patinando com o traseiro é uma cena muito ENGRAÇADA.

Mas fadinhas do açúcar fazendo o mesmo? Nem tanto!

Bem quando eu estava saindo do gelo, vi o Brandon chegando, e ele parecia MUITO feliz.

Quase MORRI quando ele me deu um lindo buquê de flores.

"Parabéns, Nikki!", ele disse.

"Obrigada, Brandon! Tudo isso foi inacreditável."

"Eu soube que vocês tiveram problemas com as fantasias. Mas eu sabia que vocês dariam um jeito. Vocês arrasaram no gelo!"

"Bom, valeu a pena. Estou muito feliz porque conseguimos manter a Amigos Peludos aberta, para que sua avó... ãã, digo, a Betty, possa continuar cuidando dos animais", eu disse, e abri um enorme sorriso.

Mas bem no fundo, eu me retraí e quase me bati por ter me referido à Betty como a avó do Brandon.

É estranho, mas quanto mais eu conheço o Brandon, MAIS perguntas tenho sobre quem ele é de verdade. E a ÚLTIMA coisa de que ele precisa no momento é de alguém bisbilhotando sua vida e fofocando pelas suas costas.

Eu pessoalmente passei por isso com a srta. MacKenzie Faladora, e foi uma TORTURA.

Então, por enquanto, eu sei tudo o que preciso saber — que o Brandon é um amigo MARAVILHOSO que sempre me ajuda quando eu preciso. E estou feliz porque também pude ajudá-lo.

Abracei meu buquê de flores e enfiei minha cara nele.

Senti a fragrância doce e romântica, encantada com o modo como ele cheirava a... humm... a flores perfumadas.

"Bom, obrigada por toda a ajuda. Nikki, você é... INCRÍVEL!", o Brandon se empolgou.

Eu fiquei muito vermelha.

E aí, ele me deu um abraço de urso!

AI, MEU DEUS! Eu achei que fosse fazer xixi na calça!

O. BRANDON. REALMENTE. ME. ABRAÇOU!!

^^^^^^^^^
EEEEEEEEE!!!

Mas agora estou ainda mais CONFUSA!

Porque não sei se foi um...

Abraço de "Somos amigos"!

Ou um abraço de "Você é uma amiga MUITO especial"!

Ou um abraço de "Você é minha NAMORADA"!

Eu queria muito perguntar a ele.

Mas não consigo!

Porque, se eu perguntar, ELE vai saber...

Mas eu quero muito SABER!

E, se ele souber de tudo, vou ficar supernervosa.

O que parece bem maluco.

Não é?

<u>Desculpa, mas não dá para controlar.</u>

EU SOU MUITO TONTA!!!

☺!!

347

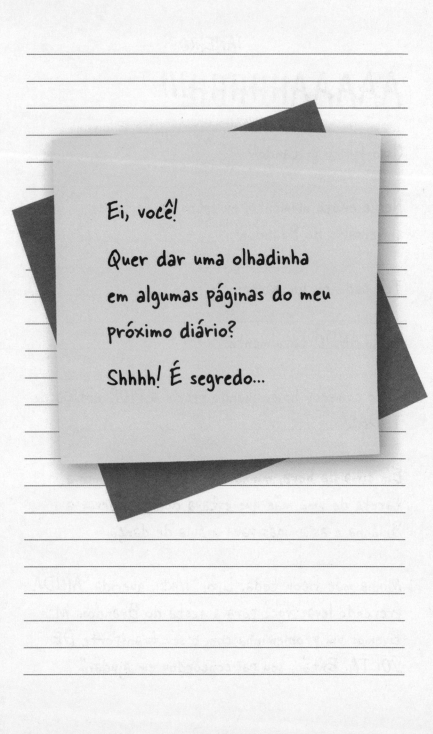

JANEIRO

AAAAAHHHHH!!!

(Isso fui eu gritando!)

Neste exato momento, eu estou na festa de aniversário do Brandon!

Trancada em um banheiro!

SURTANDO totalmente!

Tudo começou hoje, quando recebi a PIOR notícia de TODAS!

Em cima da hora, minha mãe teve que assumir a tarefa de uma mãe que estava doente e levar a Brianna e as amigas para a aula de dança.

Minha mãe ficou toda, tipo, "Nikki, querida, AINDA pretendo levar você para a festa do Brandon. Mas tivemos um probleminha com o seu transporte DE VOLTA. Então, seu pai concordou em ajudar".

Eu não podia acreditar que minha própria mãe MENTIRIA daquele jeito bem na minha cara. Desculpa, mãe! Mas não foi um PROBLEMINHA.

FOI UM PROBLEMA GIGANTESCO, MONSTRUOSO E CABELUDO!!

POR QUÊ?

Porque meus pais casualmente me informaram que meu meio de transporte seria... espera só, espera só...

Meu pai e seu companheiro enorme e muito assustador, MAX, A BARATA!

Não havia a MENOR chance de eu permitir que alguém da festa do Brandon me visse entrando naquele baratamóvel.

Que, ALIÁS, ainda estava todo decorado para o Natal.

Por que MEU PAI não podia levar a Brianna para a aula de dança?

Então, em vez de ME deixar brutalmente traumatizada PARA SEMPRE, meu pai podia levar a Brianna e suas amigas felizes. Seria mais divertido do que ir para a DISNEY!!

BRIANNA E SUAS AMIGAS, PASSEANDO NO BARATAMÓVEL

Foi quando eu tomei uma decisão MUITO difícil.

Eu NÃO ia à festa do Brandon ☹!

E sendo a pessoa honesta que sou, eu pretendia contar ao Brandon e a todos os meus amigos a verdade: tinha aparecido um imprevisto de última hora.

Eu estava TÃO cansada da minha vida ☹!!

Eu tinha pegado o telefone para dar as más notícias à Chloe e à Zoey, quando minha mãe bateu à porta do quarto e enfiou a cabeça pra dentro.

"Nikki, querida, você pode escrever o horário em que quer sair da festa, o endereço e o telefone e entregar ao seu pai? Ele não tem a melhor memória do mundo e se perde até para ir à caixa do correio."

Antes que eu pudesse dizer a ela que tinha mudado de ideia e que não queria mais ir à festa, ela fechou a porta e sumiu pelo corredor.

Eu só suspirei e disquei o número da Zoey.

Na verdade, se meu pai NÃO encontrasse a casa, seria muito BOM, porque...

De repente, uma pequena lâmpada se acendeu na minha mente, e eu tive uma ideia simplesmente genial.

A festa do Brandon seria na casa do Theodore, porque ele tinha uma sala de jogos bem legal com um sistema de som de arrasar. O endereço era Rua do Lago Escondido, 725. Mas e se o meu pai estacionasse e esperasse por mim a um quarteirão dali? Em OUTRO endereço? Assim, ninguém na festa iria me ver entrando na van com ele e com a Barata Noel.

PROBLEMA. RESOLVIDO. ☺!!

Desliguei o telefone rapidinho.

Então, escrevi todas as informações sobre a festa para o meu pai.

Exatamente como a minha mãe mandou.

Exceto pelo fato de que eu meio que falsifiquei as informações na parte do endereço e do telefone.

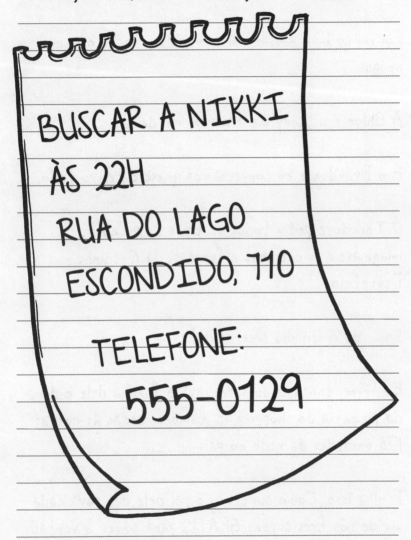

BUSCAR A NIKKI
ÀS 22H
RUA DO LAGO ESCONDIDO, 710

TELEFONE:
555-0129

Eu não sou brilhante? ☺!!

De qualquer forma, a festa do Brandon foi tão divertida quanto imaginei.

Foi muito bom passar um tempo com todos os meus amigos.

A Chloe e a Zoey me fizeram rir demais.

E o Brandon e eu conversamos quase o tempo todo.

O Theodore pediu todos os tipos de pizza imagináveis, quentinhas e frescas, da Queijinho Derretido.

Sim... da Queijinho Derretido!

Eu fiquei chocada ao saber que a família dele é dona da pizzaria do shopping. E também todas as outras 173 unidades da rede no país.

E olha isso! Como cortesia, o pai dele deu para cada um de nós três cupons GRÁTIS para comer à vontade no Festival da Pizza na Queijinho Derretido.

AI, MEU DEUS! Fiquei SUPERfeliz com isso!

Porque se eu desse um cupom da Queijinho Derretido para a minha mãe, um para o meu pai e um para a Brianna, TODAS as minhas compras de Natal do próximo ano já estariam feitas!

Sem ter de gastar NADA do meu PRÓPRIO dinheiro.

Não é DEMAIS?

Bom, nem pude acreditar na rapidez com que o tempo tinha passado, e logo já eram 22h.

Mas estávamos nos divertindo tanto, ninguém queria ir embora.

Eu não estava nem um pouco preocupada porque, de acordo com o meu plano brilhante, meu pai estava me esperando pacientemente em algum lugar perto dali.

Então, é claro que tive um ATAQUE quando a campainha tocou e...

AI, MEU DEUS! MEU PAI ACABOU DE DESTRUIR A MINHA FESTA!!

AAAAAAHHHHHH!!!!

Continua em *Diário de uma garota nada popular 5*!!
☺!!

Rachel Renée Russell é uma advogada que prefere escrever livros infantojuvenis a documentos legais (principalmente porque livros são muito mais divertidos, e pijama e pantufas não são permitidos no tribunal).

Ela criou duas filhas e sobreviveu para contar a experiência. Sua lista de hobbies inclui o cultivo de flores roxas e algumas atividades completamente inúteis (como fazer um micro-ondas com palitos de sorvete, cola e glitter). Rachel vive no estado da Virgínia, nos Estados Unidos, com um cachorro da raça yorkie que a assusta diariamente ao subir no rack do computador e jogar bichos de pelúcia nela enquanto ela escreve. E, sim, a Rachel se considera muito tonta.